D1578135

Nathalie Ishak

Berte Bratt
Traduit de l'allemand par Geneviève Hoppe
Illustrations de Diane Tudela

Un mari
pour Ingrid

© 1973 - Erika Klopp Verlag Berlin
© 1977 - Éditions G.P., Paris

Ce livre a été publié dans la langue originale
sous le titre :
EIN MANN FUR METTE
par Erika Klopp Verlag à Berlin

Printed in France

ISBN 2-261-00304-8

CHAPITRE PREMIER

BALIVERNES! déclara tante Ingeborg d'un ton caté-
gorique.

— Mais, ma chère amie, intervint oncle Jean, comment
peux-tu dire cela? Ingrid a bien réussi son baccalauréat;
elle est capable de suivre un cours de dactylographie et
de sténographie. De plus, elle est douée pour les langues.
Tu dois bien comprendre qu'ainsi elle trouvera, dans

9

un bureau, une bonne situation qui lui permettra de gagner sa vie.

Les deux interlocuteurs ne virent pas que leur nièce se tortillait comme une anguille en entendant les mots de dactylographie, de sténographie et d'emploi de bureau.

— J'ai dit : c'est stupide! répéta tante Ingeborg. Bien sûr, Ingrid pourrait devenir une secrétaire ou une interprète convenable, mais il ne faut pas se contenter de la médiocrité quand on peut réussir dans une autre branche et devenir un maître dans sa spécialité. Or il y a un domaine où tu atteins la perfection, Ingrid, et c'est la grande cuisine. Tu es vraiment douée et c'est la voie que tu dois choisir.

Ingrid sembla renaître à ces paroles. Cependant elle demanda :

— Enfin, ma tante, que veux-tu dire? Bien sûr, j'aime faire la cuisine, mais être employée de maison, ce n'est pas la même chose.

— Peut-être gouvernante dans un foyer sans maîtresse de maison? suggéra l'oncle Jean, qui était d'un naturel conciliant. (S'il n'en avait pas été ainsi, son mariage avec tante Ingeborg n'aurait pas duré : c'est lui qui aurait eu un foyer sans femme, et tante Ingeborg un atelier de stoppage ou une pension de famille!)

— Certainement non, cela ne conviendrait pas à Ingrid. Tu dois avoir un travail indépendant, ma petite. Quand je pense à la sauce des coqs de bruyère que tu as préparés pour le soixante-dixième anniversaire d'oncle

UN MARI POUR INGRID

Jean et à la glace au café de nos noces d'argent... Quant à Sophie, elle reparle toujours des filets panés que tu...

— Mais, ma tante...

— Tais-toi et laisse-moi finir. Pendant trois ans, presque quatre même, tu as parfaitement tenu votre intérieur. Ton pauvre père n'aurait pu rêver meilleure gouvernante ou meilleure cuisinière. Et songe à tous les parents et aux amis que tu as aidés entre-temps. Que de fois tu as travaillé dans la cuisine de tes amies! Pour m'exprimer sans détour, tu es un véritable cordon-bleu. Pourquoi donc ne veux-tu pas t'établir en qualité de... disons experte en grande cuisine?

Ingrid poussa un profond soupir et demeura pensive.

— J'aimerais bien, ma tante, seulement...

Tante Ingeborg n'était pas une sotte. Elle leva ses yeux clairs vers sa nièce.

— Ah, ah! il s'agit donc d'un jeune homme. Et tu crains qu'il ne trouve pas ton métier assez distingué?

Pour toute réponse, Ingrid rougit comme un coquelicot.

— Quelle niaiserie! répéta tante Ingeborg. Si ce garçon est aussi dépourvu de cervelle, ce ne sera pas une perte pour toi. As-tu vraiment l'intention d'apprendre la sténographie pour ses beaux yeux et...

— Non, haleta Ingrid.

— Souhaites-tu taper sept heures par jour sur une machine à écrire?

— Arrête, tante Ingeborg, je t'en prie.

— Vas-tu rester dans un bureau à rédiger des factures?

— Non, jamais!

UN MARI POUR INGRID

— Au lieu de cela, que dirais-tu de composer des menus gastronomiques originaux ? Imagine la maîtresse de maison te déclarant : « Mademoiselle Mehling, vous avez carte blanche pour choisir un menu exquis. » Pense à du homard à la parisienne, à des coquelets farcis, à des pâtés de gibier, à du consommé de volaille aux croûtons...

— Non, l'interrompit Ingrid, les yeux brillants, pas des croûtons, plutôt des petites quenelles de farce au gibier avec des miettes de truffes.

— Alors, mon idée n'est pas bonne ?

— Fantastique, ma tante ! Je l'adopte.

— Bon. Prenons quelques décisions : tu dois échanger ton logement contre un autre, plus petit. Que feras-tu de quatre grandes pièces dans un immeuble vétuste ? Tu vas trier les plus jolis meubles pour les emporter dans ton nouveau logis. Heureusement, tu as déjà le téléphone : il suffira de le faire transférer. Dès que tu auras tout réglé, tu feras paraître une annonce. Tu peux rassembler quelques recommandations : je te donnerai la première. Sophie, Vibeke, Elsa t'en donneront sûrement aussi... Bref, es-tu d'accord ?

— Oh ! oui ! dit Ingrid, rayonnante.

Ingrid retourna chez elle, dans le soir d'hiver. Il y avait clair de lune et le ciel scintillait d'étoiles, mais elle ne pensait ni à la lune ni aux étoiles. Elle éprouvait un grand soulagement. Son père était décédé peu après Noël. Elle

12

ne se souvenait pas de sa mère. Aussi avait-elle reporté toute son affection sur lui. Sa mort brutale l'avait bouleversée ; au chagrin s'ajoutait le souci du lendemain : qu'allait-elle faire ? « Mais tu as ton bachot », disaient les gens. Oui, bien sûr. Selon le désir de son père, elle avait fréquenté le lycée. « Tu sais, ma petite fille, avait-il déclaré, il vaut mieux avoir un bagage dans la vie. Alors mets-toi au travail et passe ton baccalauréat. Cela ne saurait te nuire. » Non, cela ne lui avait pas fait de tort ; la période des études lui avait apporté des résultats positifs : une bonne note à l'examen, un béret noir d'étudiante et... Guillaume.

« Après le bachot, tu choisiras l'activité que tu préfères », avait dit son père. Et Ingrid adorait la cuisine. Elle alla au Danemark suivre les cours d'une école ménagère. En France, elle étudia la cuisine française. Elle accepta une place en Angleterre, étudia aussi la diététique dans une école universitaire allemande. Puis elle s'occupa de l'appartement de son père, tout en aidant ses parents et ses amies, lorsqu'ils donnaient des réceptions. Parfois aussi, une amie téléphonait pour lui demander si elle serait disposée à faire un extra pour sa cousine — moyennant finances, bien entendu.

Et Ingrid cuisinait. Elle découvrit bientôt qu'un cordon-bleu habile est traité comme une perle rare. Elle était accueillie avec chaleur, on l'écoutait avec déférence, on la considérait avec admiration et on la reconduisait jusqu'à la porte avec reconnaissance.

Voilà ce qui allait devenir sa profession.

13

Tante Ingeborg était vraiment la personne la plus avisée et la plus raisonnable qu'elle connaisse.

Rentrée chez elle, Ingrid inspecta la grande maison vide et se réjouit à l'idée de s'en débarrasser. Elle imaginait déjà un petit appartement moderne avec chauffage central, frigidaire encastré et vide-ordures.

Elle se déshabilla et se coucha. Dès qu'elle eut fermé les yeux, une autre pensée traversa son esprit :

« Que dira Guillaume de tout cela? »

Le lendemain, elle eut l'occasion de l'entendre formuler clairement son opinion :

— Mais qu'est-ce qui te prend, sapristi? (Tel fut le cri du cœur.) Tu as la meilleure formation scolaire qu'on puisse trouver dans ce pays, tu es capable d'entreprendre des études universitaires... et tu veux descendre dans l'échelle sociale!

Les yeux d'Ingrid étincelèrent.

— Tu es un effroyable snob, haleta-t-elle. Il se trouve par hasard que tu es doué pour les langues; c'est pourquoi tu es devenu philologue. Supposons que tu aies été doué pour réparer les chaussures, serais-tu descendu dans l'échelle sociale? Je préfère un bon cordonnier à un mauvais philologue. Chaque homme, chaque femme ont une place qui leur est destinée. La mienne n'est pas derrière une machine à écrire, mais près d'un fourneau.

— Tu radotes! Tu as très bien réussi ton bac.

— Parce que j'étais studieuse, consciencieuse et que je m'acharnais pour faire plaisir à mon père, mais c'est

14

seulement dans une cuisine que je travaille avec plaisir. Tu comprends?

Un mot en amena un autre et, quand ils eurent longuement discuté, Guillaume se rendit compte qu'Ingrid n'était pas la jeune fille qui lui convenait. De son côté, elle comprit qu'il était à la fois borné et ridicule. Aussi se séparèrent-ils.

Ce soir-là, notre pauvre Ingrid s'endormit en pleurant, ce qui était bien pardonnable après avoir perdu l'ami qui avait été le centre de son existence pendant cinq ans.

CHAPITRE II

CUISINE et service de table pour réceptions, mariages, baptêmes, etc. Ingrid Mehling, la Résidence du Parc, appartement 704, tél. 94981. Telle était l'annonce qui figurait dans tous les journaux de la ville.

— Quelle chance a Ingrid! s'exclama cousine Vibeke. Elle a trouvé un studio dans un immeuble ultra-moderne et très confortable.

— Ingrid a vraiment une idée fantastique de se mettre à la cuisine ! commentaient ses amies de classe. D'ailleurs, elle a toujours eu de très bonnes notes au cours d'enseignement ménager.

— Et si nous faisions un essai avec cette nouvelle cuisinière qui propose ses services ? se demanda la femme de M. le consul Blom-Kruse qui devait donner quinze jours plus tard un grand dîner avec quatre plats, un entremets et, naturellement, un dessert. Je vais lui téléphoner et voir quelles sont ses références.

C'est ainsi que Mme Blom-Kruse devint la première cliente officielle d'Ingrid.

La maîtresse de maison fut satisfaite. Et, quand Ingrid eut terminé son travail et voulut s'en aller, la femme du consul en personne vint à la cuisine, suivie d'un gros monsieur chauve à l'air jovial.

— Mademoiselle Mehling, voici M. le directeur Jensen qui aimerait vous parler quelques instants.

— Non, c'est vous l'extra ? s'écria le directeur, tout étonné de voir la silhouette menue d'Ingrid. Que vous êtes donc jeune ! Est-ce vraiment vous qui avez préparé ce repas fantastique ?

Ingrid se mit à rire.

— Mais oui ! Depuis les petites allumettes cocktail jusqu'au dernier amuse-gueule !

— Puis-je vous retenir pour jeudi prochain ?

— Volontiers, monsieur le Directeur.

— Il s'agit d'un dîner d'hommes. D'effroyables

L'homme qui vous épousera pourra s'estimer heureux.

gourmands. Voudriez-vous venir me voir ces jours-ci pour discuter du menu? Je suis veuf; il n'y a donc pas de femme à la maison avec qui vous pourriez tout organiser. Vous chargeriez-vous de tout, y compris des courses et du couvert? Naturellement, vous aurez de l'aide pour le service et la vaisselle.

Ces manières directes plurent à Ingrid.

— Entendu, monsieur.

— Nous doublerons votre rétribution, car vous aurez bien plus de travail que d'habitude. Pourriez-vous passer lundi après-midi chez moi?

— Certainement.

Ingrid regagna son logis, tout heureuse d'avoir vu ses services très largement payés. Elle eut une pensée reconnaissante pour tante Ingeborg.

Vraiment, c'était un travail sensationnel!

Ingrid rangea la salade de harengs dans le frigidaire et soupira. Il y a des milliers de jeunes filles qui sont émues quand elles entendent à nouveau la musique qu'elles avaient écoutée avec leur bien-aimé ou quand le jasmin embaume comme telle nuit d'été où ils échangèrent leur premier baiser. Il y en a aussi beaucoup qui essuient une larme en sortant de l'armoire la robe qu'elles ont portée tel soir merveilleux...

Chez Ingrid, c'était la salade de harengs qui éveillait les mêmes sentiments que chez d'autres jeunes filles la vue d'une robe, le parfum du jasmin ou la musique! Elle l'avait « composée » pour Guillaume jadis et, en cinq ans, il avait dû en absorber des tonnes.

Telles étaient les pensées d'Ingrid en préparant les entrées froides pour M. Jensen et ses invités.

Elle découpa les pigeons rôtis, les disposa sur un plat et les garnit de tomates et de persil. Quel plaisir de travailler dans une cuisine sans maîtresse de maison nerveuse s'agitant à vos côtés! Ingrid pouvait s'organiser à sa guise. L'aide-cuisinière était docile et le directeur n'était pas encore rentré.

Tout aurait été parfait si le souvenir de Guillaume ne s'était pas emparé d'elle sans vouloir la quitter. Qu'était-il devenu? Avait-il trouvé une autre amie? Ah! quel âne! Copier des factures, voilà qui avait du chic, mais créer quelque chose, utiliser son imagination, se concentrer sur une tâche pour laquelle on était doué, cela manquait de classe! Elle l'aurait étranglé!... Bien sûr, elle n'en aurait pas eu le courage. Au fond, elle souhaitait seulement que Guillaume reconnaisse à quel point il avait été stupide, qu'il vienne la trouver et lui dise...

— Mademoiselle Mehling, venez vite, s'il vous plaît! Je ne comprends pas ce qui se passe. Le frigo semble en panne.

Brusquement rappelée à la réalité, Ingrid courut examiner le réfrigérateur : la couche de glace sur les parois du freezer était mince, transparente... et tout dégoulinait.

— Saperlipopette! s'exclama la jeune fille.

Il lui fallait mettre à rafraîchir l'eau gazeuse et l'eau-de-vie, sans parler de la glace au café qui n'avait pas encore pris..., et voici que le frigidaire refusait tout service.

Ingrid contrôla le thermostat : il était réglé au maximum.

— Mademoiselle Henriksen, s'il vous plaît, savez-vous où on a acheté ce frigo ? Il faut appeler immédiatement un technicien.

Mlle Henriksen réfléchit :

— Je crois que c'était chez Ring et Compagnie.

Ingrid s'élança vers le téléphone. Il était déjà cinq heures ! Le magasin venait de fermer. Et la glace qui devait être prête dans deux heures !

Elle entendit résonner la sonnerie, encore et encore. Enfin, quelqu'un décrocha :

— Ici, la société Ring et Compagnie.

— Ah ! c'est merveilleux ! s'exclama Ingrid.

Un joyeux éclat de rire lui répondit.

— Voilà qui fait plaisir à entendre ! Qu'y a-t-il de si merveilleux ?

— Que quelqu'un me réponde. Écoutez, voilà...

Ingrid décrivit l'urgence de la situation avec des couleurs si touchantes que son interlocuteur fondit comme la glace dans le freezer !

— C'est grave, en effet, concéda la voix de Ring et Compagnie. Malheureusement, nos techniciens ont déjà quitté l'atelier.

— Oui, mais vous devez nous aider. Dans deux heures on donne une réception ici et tout dépend du frigidaire. Pouvez-vous m'indiquer où...

23

— Oui, il n'y a qu'une solution, c'est que je vienne moi-même vous dépanner.

— Ah! vous êtes peut-être M. Ring... ou bien « et Compagnie »?

— Je suis l'associé de M. Ring, déclara la voix où perçait à nouveau l'amusement. Je serai chez vous dans quelques minutes.

Ingrid sourit en raccrochant l'écouteur. Cette voix lui avait plu et son propriétaire avait le sens de l'humour. On s'en apercevait tout de suite.

Quand on sonna à la porte, elle alla ouvrir elle-même.

— Bonjour. Je suis M. Varland, ingénieur chez Ring et Compagnie.

— Comme c'est aimable de vous être dérangé!

— Et comme c'est agréable d'être attendu avec tant d'impatience!

Varland et Ingrid échangèrent un sourire.

— A vrai dire, je n'ai jamais attendu personne aussi impatiemment que vous. Voulez-vous entrer à la cuisine? J'ai vidé le frigidaire, vous pouvez commencer tout de suite.

Varland examina l'extérieur et l'intérieur de l'appareil, sortit ses outils et se mit à siffloter en maniant son tourne-vis.

— Est-ce que vous trouvez la cause de la panne? demanda Ingrid.

Elle travaillait la pâte feuilletée des vol-au-vent et n'accorda qu'un bref coup d'œil à Varland.

— Oui, c'est une rupture de câble. Ce sera réparé dans deux minutes !

Il continua de s'affairer.

— Hum ! cela sent bon ici !

Il regarda la table de la cuisine où s'alignaient les nombreuses entrées froides.

— Avez-vous fait tout cela vous-même ?

— Oui, et beaucoup d'autres hors-d'œuvre...

Comme Varland contemplait toujours les plats, Ingrid eut une idée.

— Vous n'avez pas encore dîné, n'est-ce pas ?

— En effet ! J'allais partir quand vous avez téléphoné. C'était vraiment un hasard que je sois encore là : je devais calculer les heures supplémentaires.

— Je regrette. Puis-je vous offrir un petit souper ? Nous avons largement ce qu'il faut.

— Oh ! volontiers ! J'ai aussi faim qu'une bande de loups en hiver.

Ingrid se mit à rire. Elle prépara sur un plateau un assortiment de plats froids et alla chercher une bouteille de bière, un couteau et une fourchette.

— Je dois vous demander de vous contenter de la table de cuisine. Nous avons déjà commencé à dresser le couvert pour ce soir à la salle à manger.

— Oh ! ce sera parfait ainsi, mademoiselle... ou madame ? Vous êtes peut-être Mme Jensen ?

— Non, je suis la cuisinière engagée en extra pour aujourd'hui.

— Voyez-moi cela, dit en se relevant Varland, jusque-

25

là agenouillé devant le réfrigérateur. Maintenant, le malheur est réparé. D'ici une heure ou deux, même un ours blanc attraperait des engelures là-dedans !

— Servez-vous, je vous prie.

Varland fit honneur à ce repas improvisé.

— Sapristi ! déclara-t-il. L'homme qui vous épousera pourra s'estimer heureux. Mieux vaut que je me sauve sur-le-champ, sinon je vous demande en mariage... Sérieusement, je vous remercie beaucoup pour ce délicieux repas.

— C'est à moi de vous remercier. Vous avez sauvé ma réputation de cuisinière.

La porte retomba sur Varland.

Ingrid avait un petit sourire au coin des lèvres en poursuivant son travail. Elle avait bien plus d'entrain qu'avant et sentait venir la grande inspiration.

Quand elle eut terminé, le soir, et qu'elle enfila son manteau pour rentrer, elle remarqua soudain qu'elle avait oublié pendant toute la soirée de penser à Guillaume.

CHAPITRE III

On sonna à la porte. Une jeune femme en robe de chambre se tenait sur le seuil. Ingrid la connaissait de vue. C'était Sonia Börresen, un mannequin qui avait un studio sur le même palier.

— Je ne vous dérange pas, au moins, mademoiselle Mehling?

— Pas du tout.

27

— Je voulais seulement vous demander la permission d'utiliser votre téléphone. La cabine du couloir est occupée depuis une demi-heure et je dois absolument téléphoner.

— Entrez, je vous en prie.

Ingrid ne put éviter d'entendre la conversation. Sonia Börresen appelait sa maison de couture :

— Voulez-vous m'excuser de ne pas venir. Je suis effroyablement grippée, et si je veux être en forme samedi, pour la présentation de mode, je dois garder le lit.

Elle reposa le combiné.

— Grand merci! Atchoum!

Ingrid compatit :

— Pauvre mademoiselle Börresen! Vous voilà vraiment bien malade!

— Oh! oui. Et samedi je dois évoluer gracieusement sur le podium dans les derniers maillots de bain et les nouveaux modèles de plage! Eh bien, je vais me fourrer au lit et croquer de l'aspirine.

— Mais n'allez-vous rien prendre d'autre que de l'aspirine? Je ne veux pas être indiscrète, je pensais seulement que si vous n'avez personne pour vous soigner...

— Ah! non. Vous pouvez parier votre dernière chemise là-dessus : personne ne s'occupe de moi. C'est joliment triste de tomber malade quand on habite un studio!

Sonia serra étroitement contre elle le nuage de soie ouatinée qui lui servait de peignoir.

UN MARI POUR INGRID

— Je ne voudrais pas m'imposer, balbutia Ingrid, mais... enfin... est-ce que cela vous dérangerait si je vous apportais un léger repas de midi?

Sonia la regarda de ses yeux rougis par le rhume.

— Si cela me dérangerait? Quand on se nourrit depuis deux jours exclusivement de chevaux à bascule desséchés, vous vous doutez qu'on n'a plus qu'un seul rêve : un bon petit repas chaud mitonné sur le fourneau de sa mère! Une minute. Voici ma clé : vous pourrez entrer n'importe quand. Et, si jamais vous aviez besoin d'un maillot de bain de la marque Sunshine, venez me trouver : j'ai des conditions avantageuses.

Ingrid resta figée, avec la clé du studio de Sonia à la main; elle suivit des yeux la silhouette nimbée de soie. Elle n'avait compris que la moitié des propos de Sonia, mais l'essentiel était clair : la voisine avait besoin d'un repas consistant.

Une heure plus tard, la porte de l'appartement de Sonia s'ouvrit. Ingrid s'arrêta et cligna des yeux. La petite entrée était peinte d'animaux grotesques de couleurs pop. Dans la chambre, il y avait des meubles français ravissants. La pièce était sûrement charmante quand elle était en ordre, mais pour le moment, eh bien, elle ne l'était pas! Sur la petite table, près du divan bas, se trouvait une assiette avec des tranches de pain sec garnies de fromage où perlaient déjà des gouttes d'eau et dont les bords se relevaient lamentablement.

Ingrid se mit à rire et désigna les sandwiches.

— Est-ce là ce que vous appelez les chevaux à bascule?

— Bien sûr. (Sonia se redressa dans son lit et serra frileusement une liseuse rose pâle autour de son cou.) Saperlipopette, mais c'est splendide! (Elle jeta un regard de convoitise sur le plateau qu'Ingrid déposait près du lit.) Est-ce que vous préparez tous les jours un repas chaud? Pour vous toute seule?

— Je fais tous les jours un déjeuner consistant. C'est indispensable. J'en ai le temps : souvent, je suis libre toute la journée.

— Libre toute la journée? (Sonia parlait la bouche pleine.) Ah! oui, vous vous occupez de cuisine et de ce genre de choses. Mais est-ce que vous ne devez pas travailler énormément?

— Oh! non. Je ne suis pas prise tous les jours. Il n'y a pas tant de mondanités dans cette ville. Je suis occupée deux ou trois fois par semaine. Presque toujours le samedi, parfois le dimanche aussi.

— Drôle de métier! déclara Sonia. Au fait, ne pourriez-vous pas employer vos heures de liberté à cuisiner pour nous toutes?

— Dans l'immeuble? Rien que pour des femmes? Je les croyais capables de se débrouiller.

— Ah! ouiche! N'êtes-vous jamais rentrée de votre travail épuisée au point de ne plus savoir votre propre nom? Non, vous ne connaissez pas cela, naturellement. Ne savez-vous pas comment on se sent quand on a dû, toute la journée, présenter devant de grosses mémères des robes taille 38 et se tourner et se contorsionner jusqu'à ce qu'enfin elles tirent leur chéquier dodu?

Ingrid se mit à rire et désigna les sandwiches.

Et arborer pendant des heures à la lumière des projecteurs un sourire de dentifrice, ou jouer la maîtresse de maison pleine d'allégresse car son linge devient si-i-i blanc avec Proprex, la meilleure lessive du monde? Quand une fille a passé une matinée pareille, il ne lui reste plus la force d'éplucher des pommes de terre ou de faire cuire un bifteck.

Bouche bée, Ingrid l'écoutait.

— Posez-vous aussi pour les photographes?

— Oui, et je suis même le modèle vedette. Et bien payée, croyez-moi. N'avez-vous pas vu les jolies jambes sur les affiches des collants Pernille? N'en achetez pas : ils fileront dès que votre fiancé voudra vous prendre dans ses bras. Bref, ces jambes Pernille, ce sont les miennes! Voyez vous-même.

Un pied cambré aux ongles laqués de rouge foncé, une cheville élégante et une jambe élancée surgirent de sous l'édredon.

— Pas mal, n'est-ce pas? Oh! je vis largement avec mes jambes et mon sourire pour pâte dentifrice.

La jambe rentra sous la courtepointe et Sonia attaqua le dessert : une omelette à la confiture.

— Donc, vous devriez nous faire la cuisine. Vous auriez des clientes fidèles qui seraient à vos pieds. Une telle entreprise ne mérite-t-elle pas qu'on s'y consacre?

— Ce n'est pas une mauvaise idée, admit la jeune fille.

Puis elle repoussa ce projet :

33

— Je crois que ce serait trop incertain et... ce travail me rapportera-t-il de quoi vivre?

— Bah! Réfléchissez-y, conclut Sonia. Quand on vous aura mise à la porte des maisons distinguées, parce que vous buvez en secret les restes d'alcool ou parce que vous empochez le caviar, venez donc nous faire du goulasch... Ah! comme j'ai bien mangé! Savez-vous ce que disent les Anglais? *Starve the fever and feed the cold* (1). J'ai fait jeûner ma fièvre deux jours et je commence à gaver mon rhume. Vous verrez, demain, je serai ressuscitée. Soyez un ange, Ingrid, et rouvrez le chauffage. J'ai l'impression d'avoir un glaçon dans le dos.

— Le radiateur est déjà ouvert.

— Quel poison! Le voilà encore en panne! Si vous voyez papa Monsen, plaignez-vous de ma part, s'il vous plaît, et dites-lui qu'au pôle Nord il règne une température délicieuse comparée à celle que j'ai ici.

— Papa Monsen?

— Comment, vous ne le connaissez pas? C'est notre concierge et notre bon ange! En admettant qu'un ange ait un gros ventre et soit chauve! C'est un si brave homme! Il nous appelle « mes petites filles ». Réellement, vous ne savez pas qui c'est?

— Je l'ai sans doute aperçu en passant.

— S'il n'est pas chez lui, il répare l'essoreuse à la buanderie; sinon, il prend le café chez Mlle Petersen, au troisième. Ou il s'occupe d'un évier bouché au cin-

---

(1) Faites jeûner la fièvre et nourrissez la grippe. *(N.d.T.)*

quième chez Mlle Holm. A moins que Mlle Börresen, qui habite à l'angle de l'immeuble, ne soit occupée à le violer.

— Mais...

— Oh! pardon! vous êtes du genre délicat, sans doute. Pauvre Mlle Börresen, peut-être qu'elle n'aura aucun succès. Enfin, je me tais. L'essentiel est que papa Monsen remette mon chauffage en état.

Ingrid se sentait un peu étourdie en partant à la recherche de papa Monsen. Il ne pourrait y avoir de véritable amitié entre elle et Sonia, c'était évident. Mais elle plaignait sa voisine. De temps à autre, elle prendrait de ses nouvelles et lui préparerait un bon repas. En y réfléchissant, elle se souvint d'avoir déjà vu le joli visage et le radieux sourire de Sonia sur des panneaux publicitaires. Bien sûr, il n'y avait guère d'idées sous ces boucles brunes... Mais elle était amusante malgré toutes les bêtises qu'elle disait, et elle était dangereusement belle.

Ingrid trouva le gardien d'immeuble chez lui. Il était aimable et jovial. Il posa sa pipe et prit sa trousse à outils.

— Ah, ah! c'est chez Sonia que cela ne va pas. Son chauffage est déjà tombé en panne? Et elle est malade, la pauvre! Naturellement, je monte tout de suite. Il faut faire ce qu'on peut pour ses petites filles.

Ingrid sourit.

— Alors c'est vrai que vous nous appelez vos petites filles?

35

— Oui, c'est bien ce que vous êtes, n'est-ce pas? De pauvres fillettes sans appui qui se donnent beaucoup de mal. Je les regarde quelquefois rentrer le soir, fatiguées et découragées, et elles doivent encore mettre leur petit intérieur en ordre. Je ne dis pas : elles ne font guère de ménage, on ne peut pas assumer le travail de deux personnes.

Ingrid demeura pensive. Elle accompagna M. Monsen chez Sonia.

— Hé! papa Monsen, vous tombez du ciel. A vous deux, vous pourriez fonder une société par actions : Anges réunis S.A. Savez-vous qu'Ingrid m'a nourrie aujourd'hui? Mademoiselle Mehling, j'ai une idée. Vous devriez vraiment ouvrir un café-restaurant dont le slogan serait : Chez Ingrid à midi, comblez votre appétit. Cela sonne bien, n'est-ce pas? Papa Monsen, je meurs de froid. Mes jambes sont toutes bleues. Si le chef de publicité des collants Pernille me voyait en ce moment, il me photographierait sans bas et appellerait son cliché « nylon bleu nuit ».

Papa Monsen rit silencieusement. Sans se laisser troubler par le bavardage de Sonia, il s'occupait du chauffage. Ingrid le regardait.

Soudain, elle se remémora une situation analogue : un jeune homme serviable qui manipulait des vis et des tenailles et qui l'avait tirée d'une situation très difficile.

Elle se réjouit secrètement que ce ne fût pas le jeune ingénieur Varland qui travaillât si près de Sonia et de ses boucles sombres, près de ce visage que même le

36

Memo

h éditions hurtubise

380 ouest, rue craig, montréal, qué. H2Y 1J9
tél. : (514) 849-6381

rhume ne parvenait pas à altérer. Papa Monsen ne se laissait manifestement impressionner ni par les décolletés ni par les boucles brunes. De longues années d'activité dans cet immeuble l'avaient immunisé contre les charmes féminins. Quand on est caissier dans une banque et qu'on palpe toute la journée de gros tas de billets, on se déshabitue vite de les convoiter.

Plus tard, quand Ingrid eut apporté son dîner à Sonia, elle s'assit dans son bon fauteuil et se mit à tricoter. Ses pensées vagabondaient : elles évoquèrent Guillaume, mais sans s'y attarder. Elles s'envolèrent de nouveau et s'attachèrent longuement à la réparation du réfrigérateur de M. le directeur Jensen... Enfin Ingrid alla chercher un crayon et une feuille de papier et dressa une liste de courses. Le surlendemain, elle devait s'occuper chez les Bergmann d'une réception de dix-huit personnes.

CHAPITRE IV

Quand le printemps approcha, les réceptions devinrent plus rares. Souvent Ingrid était sans travail. Elle bricola un peu dans la maison, se tailla une robe neuve, lut et tricota, mais c'était une existence bien terne. De temps à autre, on l'engageait pour une soirée et elle gagnait alors une somme assez coquette pour lui permettre de vivre une semaine. Mais elle dut bien vite admettre que son métier était trop saisonnier. Elle pensait de plus en plus à ce que Sonia et papa Monsen lui avaient raconté au sujet de ces jeunes femmes qui travaillaient et rentraient « éreintées » de leur bureau ou de leur magasin sans avoir le courage de se préparer un repas convenable... Et si elle changeait de secteur d'activité et se mettait à cuisiner moyennant finances pour les locataires de l'immeuble ? C'était vrai qu'elles ne mangeaient que des conserves ou se nourrissaient mal dans des établissements médiocres et bon marché. Seule une minorité pouvait s'offrir un restaurant correct.

Ingrid songea aussi à celles qui devaient s'aliter. Sonia l'avait dit : « C'est joliment triste de tomber malade quand on habite un studio ! »

Un beau jour, Ingrid s'ébranla. Par un matin calme, elle alla trouver papa Monsen. Elle le chercha dans les endroits les plus impossibles et finit par le découvrir dans la chaufferie.

— Eh bien, fillette, que se passe-t-il ? s'empressa le brave homme.

— Rien de grave, répondit-elle en souriant. Mon évier n'est pas bouché, la sonnette marche et le chauffage fonctionne bien. Non, il s'agit de tout autre chose. Avez-vous le temps de m'écouter, monsieur Monsen ?

— Le temps ? Bien sûr. Je suis là pour cela. Asseyez-vous sur les marches et parlez-moi franchement.

Ingrid obéit.

— Voyez-vous, monsieur Monsen, personne dans la maison ne connaît les locataires comme vous.

— C'est un fait. Mes petites filles...

— Savez-vous que je vis en faisant la cuisine pour les autres?

— C'est comme si vous me demandiez si je sais comment je m'appelle. Ah! si vous vouliez bien cuisiner pour nous! Mais...

— Vous allez au-devant de mes désirs : c'est justement mon intention. Croyez-vous que tout le monde aura besoin tous les jours d'un repas de midi? Si je pouvais louer une pièce quelconque dans le bloc, au besoin même une cave, je l'aménagerais en cuisine. Naturellement, je ne préparerais pas des banquets, mais de la bonne cuisine familiale. Ainsi, en revenant de leur travail, les jeunes femmes pourraient venir chercher leur repas et le monter chez elles. Croyez-vous que cela marcherait?

Papa Monsen posa sa pipe, s'avança vers Ingrid et lui prit les deux mains.

— Que Dieu vous bénisse, chère petite! C'est l'idée la plus raisonnable que quelqu'un ait eue depuis que j'habite cette maison. Vous auriez dû entendre ma femme les plaindre quand l'une d'elles était malade et incapable d'aller chercher des petits pains frais et une bouteille de lait.

— Je ne suis au courant de rien, papa Monsen : je ne savais même pas que vous étiez marié.

Une ombre fugitive passa sur les traits de papa Monsen.

— Je suis veuf, hélas! Il y a un an que j'ai perdu ma femme. Vous comprenez donc que votre premier client sera H.F. Monsen, soyez-en sûre. Cependant je dois réfléchir encore un peu à votre projet. Excusez-moi de vous poser cette question : avez-vous les moyens d'installer cette cuisine? Cela entraînera de gros frais.

— J'ai une petite somme à la Caisse d'épargne — l'héritage de mon père — mais je ne dispose de rien d'autre.

— Nous verrons cela... Je crois que je pourrais faire une proposition à la gérance.

— La gérance?

— Oui, celle de l'immeuble. Et pour le local, attendez...

Papa Monsen se gratta l'oreille. Puis il lança à Ingrid un regard malicieux.

— Venez, petite, je vais vous montrer quelque chose.

Il la conduisit à travers des couloirs qu'elle n'avait jamais parcourus; il s'arrêta devant une porte et choisit une clé dans son énorme trousseau.

— Regardez-moi cela, mon petit cordon-bleu. Si nous libérions cette pièce? Qu'en pensez-vous? En admettant que le gérant soit d'accord...

Ingrid examina les lieux. Le local était spacieux, clair, peint en blanc. Il contenait un établi et quelques outils de menuisier et de ferblantier.

— Oui, mais, monsieur Monsen...

— En effet, c'est mon atelier. Mais nous caserons bien ce bric-à-brac ailleurs. C'est vraiment dommage que mes petits bricolages immobilisent une si grande pièce. Voyez, il y a même une conduite de gaz. Et, là-bas, vous pourrez laver la vaisselle. Ici, on avait prévu une buanderie ; seulement, à la dernière minute, on a changé le plan. Alors, qu'en dites-vous ?

— Je... Je suis sans voix.

— Voilà un événement peu banal ; il est rare que les jeunes filles soient sans voix ! Bref, demain, je parle au gérant. Nous sommes aujourd'hui le 15 avril. Disons que nous ouvrirons nos portes le 2 mai ; cela vous convient-il ?

— Arriverons-nous à tout organiser d'ici là ?

— Bien sûr ! Tandis que vous vous procurerez les meubles et la batterie de cuisine, je discuterai avec la compagnie du gaz pour l'emplacement des robinets d'arrivée. Avez-vous un fourneau ?

— J'ai un réchaud électrique.

— Parfait ! Alors, je convoquerai un ouvrier. Faites imprimer des cartes publicitaires : nous les mettrons dans toutes les boîtes aux lettres de la maison. Entendu ?

— Monsieur Monsen, j'ai envie de vous sauter au cou !

— Ne vous gênez pas ! répliqua-t-il en riant.

Maintenant, Ingrid ne chômait plus. Elle était occupée toute la journée à régler son plan de campagne dans les moindres détails. Elle alla voir tante Ingeborg et lui raconta ses projets. La bonne dame rayonnait.

— Tu es une fille sensationnelle, Ingrid ! Quelle bonne idée tu as eue ! N'ai-je pas bien fait de t'inciter à devenir cuisinière ?

43

— Oh! je t'en suis si reconnaissante, tante Ingeborg!

— Dis-moi, ne pourrais-tu accepter aussi de petites commandes quand vos jeunes célibataires ont des invités? Il me semble que tu arriverais sans peine à préparer quelques salades ou des plats froids en plus du menu?

— Ce serait réalisable, mais je dois d'abord voir quelle tournure prend mon self-service.

— Il te faudra absolument une aide, mon enfant. Pense à toute cette vaisselle.

— Vois-tu, tante Ingeborg, mes clientes viendront chercher leur déjeuner dans leurs propres plats, ainsi je n'aurai qu'à laver les casseroles et ce qui m'aura servi à tout préparer.

— Ah! bon! opina sa tante. Tu as vraiment l'esprit pratique; je suis fière de toi.

Au beau milieu de ces préparatifs, on demanda à Ingrid de s'occuper d'une réception; rien de bien passionnant, cette fois. Le fils unique d'une famille de la bonne bourgeoisie fêtait ses vingt-cinq ans. Avec tact, Ingrid se montra compréhensive lors de la discussion du menu : elle avait déjà quelque expérience et savait qu'une petite fête de ce genre représentait pour bien des gens un sacrifice financier. Dans ce cas-là, il fallait calculer ce qui était le plus avantageux. Ingrid fit des suggestions qui plurent à la maîtresse de maison.

De nouveau, elle se trouvait dans une cuisine étrangère et manipulait les poêles et les marmites d'autrui. Elle pensait à toutes les cuisines différentes les unes des autres où elle avait déjà travaillé, aux aperçus nombreux qu'elle avait eus de la situation financière d'inconnus, de leurs familles et de leurs caractères. A travers des portes de salles à manger, elle avait entendu des discours et des chants joyeux. Il lui semblait savoir d'avance ce qu'on allait dire à chaque occasion de fête.

Le tintement d'un couteau contre un verre, le grattement d'une chaise, une toux pour s'éclaircir la voix, puis les félicitations d'usage, des allusions plaisantes à tel épisode d'enfance ou de la vie d'écolier..., comme elle connaissait bien tout cela !

On débarrassa la table. Puis Ingrid tendit à la serveuse les coupes de sabayon qui constituaient le dessert ; elles étaient décorées de façon charmante avec de la crème verte et rouge et des tranches d'ananas.

De l'intérieur, elle entendit encore des tintements de verre. Puis une voix s'éleva et Ingrid se surprit à tendre l'oreille. C'était une voix grave et harmonieuse. Et quant à ses propos !... Elle commença d'un ton sérieux, en petites phrases émouvantes, s'anima peu à peu, enfin ce fut un véritable feu d'artifice : non pas un bavardage creux, mais un bouquet d'idées brillantes présentées avec esprit.

La voix se tut, noyée dans les rires et les applaudissements. Ingrid fronça les sourcils : il lui semblait l'avoir déjà entendue.

La femme de chambre la tira de ses réflexions :

— Je crois que vous pouvez préparer le café, mademoiselle Mehling.

45

UN MARI POUR INGRID

Ingrid filtra le café et oublia la belle voix. Puis elle aida à la vaisselle ; elle n'y était nullement obligée, mais elle trouvait cela plus gentil pour la jeune femme qui avait fait le service.

Il était près d'une heure du matin quand Ingrid s'en alla. La maîtresse de maison la remercia avec les mots habituels et la paya. Elle avait les joues rouges et les yeux brillants tant elle était ravie du succès de la soirée.

— C'était délicieux, mademoiselle Mehling, et vraiment superbe. Et vous vous êtes arrangée pour qu'il reste un peu de selle d'agneau : cela fera encore un repas au moins. Vous êtes une perle. Encore grand merci !

Quand Ingrid arriva dans le hall, le héros de la fête était devant la porte entrouverte et disait au revoir à un de ses amis.

— Dommage que tu doives déjà partir. Que vas-tu faire de ce jour qui commence ?

— Moi ? Jouer aux cartes en buvant du café ! Sérieusement, j'ai un travail effrayant au bureau et, si je ne dors pas quelques heures, je ne serai bon à rien.

— Merci encore pour ton discours. Il était sensationnel.

— Pardon...

Ingrid se fit toute petite et se faufila devant eux. Elle entendit la porte de la maison se refermer et des pas rapides derrière elle.

— Un instant... N'êtes-vous pas...? Mais oui, vous êtes l'extra ! Vous souvenez-vous de moi ?

— Bien sûr, dit Ingrid, qui se rappela où elle avait entendu cette voix.

Et elle se rendit compte que son cœur battait bizarrement.

— Comment cela s'est-il passé, l'autre fois, chez le directeur Jensen? Est-ce que la glace a bien pris?

— Oui, parfaitement. Vous n'imaginez pas comme je vous ai béni ce soir-là.

Ils étaient arrivés dans la rue.

— Dites-moi, avez-vous l'intention de rentrer seule, pauvre petite experte en cuisine sans défense?

— D'abord, j'en ai l'habitude, et ensuite je dois absolument respirer un peu d'air frais, après toute cette vapeur.

— O.K. Alors, rentrons à pied. Où habitez-vous?

— Résidence du Parc.

Il tourna la tête vers elle et lui lança un regard rapide. Une seconde s'écoula avant qu'il ne réponde :

— Bien. Je vais dans la même direction. Est-ce un immeuble agréable?

— La résidence? Oh! oui, très sympathique; je m'y trouve bien.

— Ce doit être drôle d'habiter dans une... volière pareille.

— Oh! vous n'avez pas honte?

— Pardon. Alors, disons une ruche; ou plutôt une énorme commode avec huit grands tiroirs dans lesquels on n'occupe qu'un compartiment minuscule.

Ingrid éclata de rire.

— La comparaison n'est pas mauvaise! Sérieusement, je m'y sens très bien.

— Sans un seul homme dans la maison?

— Si, il y a un homme!

— Ah, ah! Est-il charmant?

— Pas au sens où vous l'entendez. Il est bien plus que charmant : il est la bonté même. C'est l'être le plus gentil, le plus patient, le plus serviable du monde. Je l'aime vraiment beaucoup.

— Oh, oh! quels aveux compromettants!

— Celui qui répond à ma description est notre concierge, le bon papa Monsen. S'il avait un fils, je serais capable de l'épouser, rien que pour avoir papa Monsen comme beau-père.

— Et il n'a pas de fils?

— En tout cas, je n'en ai pas vu et personne ne m'en a parlé.

Il y eut un silence. Leurs pas résonnaient sur l'asphalte de la rue déserte.

— Ne pouvez-vous me dire votre nom? demanda l'ingénieur. Vous connaissez déjà le mien.

— Oh! excusez-moi! Ingrid Mehling.

— Mehling? Ah! maintenant, je sais. C'est vous qui...

Il s'interrompit brusquement.

— Qui... quoi?

— Qui êtes devenue célèbre comme extra. J'ai entendu récemment citer votre nom quelque part.

— Eh bien! me voilà célèbre maintenant! s'exclama la jeune fille en riant...

Nouveau silence.

— J'y pense, j'ai fait aujourd'hui quelque chose d'impardonnable. J'ai écouté à une porte.

— Fi donc! Vous devriez vous sentir gênée.

— Vous trouvez? Pourtant, c'était de votre faute. C'était votre discours que j'écoutais. Vous avez vanté ma cuisine, à mon tour de faire l'éloge de vos talents d'orateur. Votre petit speech était le plus amusant et le mieux tourné que j'aie entendu de ma vie.

Varland sourit.

— En avez-vous déjà tant entendu? Dans votre courte vie?

— Vous n'imaginez pas combien de discours et de chants je dois subir au cours des réceptions. La prochaine fois que j'entends : *Ce n'est qu'un au revoir, mes frères,* je me mets à hurler. Et les toasts : « En un jour comme celui-ci, il nous plaît d'évoquer... » N'est-ce pas à devenir fou?

— Vous n'avez qu'à ne pas écouter aux portes.

— Mais j'y suis obligée professionnellement : je dois suivre les nourritures spirituelles pour savoir quand je dois présenter mes nourritures terrestres. Elles sont généralement meilleures.

— Vous êtes vaniteuse! déclara Varland, l'air sévère.

— Oui, mais seulement dans ce domaine. N'ai-je pas lieu de l'être?

— Quelle drôle de fille! murmura Varland. Ainsi, mon discours vous a plu. Oui, je m'exprime bien en public, je l'avoue.

— Il me semble que quelqu'un parlait de vanité tout à l'heure.

— Je me contente de constater des faits.

Maintenant l'immeuble se dressait devant eux, de toute la hauteur de ses huit étages.

— Merci de m'avoir accompagnée.

— Merci à vous de m'y avoir autorisé.

— J'espère que ce n'était pas un trop grand détour pour vous ?

— Pas du tout, c'était sympathique de bavarder avec vous. J'espère que nous nous rencontrerons une autre fois.

— Ce n'est pas impossible.

Le cœur d'Ingrid recommença à battre bizarrement. Et une voix intérieure murmurait que c'eût été bien facile pour lui de l'inviter à sortir avec lui.

Mais il ne le fit pas. Il lui tendit la main.

— Je compte sur un heureux hasard, mademoiselle Mehling. Bonne nuit.

— Bonsoir.

Sa voix était faible et sans timbre.

Il resta là, regardant, à travers la porte de verre de la maison, Ingrid qui prenait l'ascenseur. Sa silhouette menue sembla tout à coup étriquée et fatiguée. Elle disparut bientôt dans les hauteurs.

Alors Varland eut un comportement étrange. Il pénétra dans l'immeuble et s'élança dans les escaliers.

CHAPITRE V

L E lendemain, Ingrid fut sur pied dès sept heures. Elle avait encore sommeil. Elle s'était couchée tard et était restée éveillée assez longtemps, tant elle était préoccupée. Si Varland désirait vraiment la revoir, pourquoi se fier au hasard? Pourquoi n'avait-il rien proposé de précis? Une séance de cinéma, par exemple?

Elle soupira. Non, non, ce n'était que propos en l'air. Mieux valait ne plus y penser.

UN MARI POUR INGRID

Maintenant, Ingrid se concentrait sur son travail. La veille, la batterie de cuisine était arrivée, il fallait tout déballer et tout ranger. La grande table, quelques armoires et le frigidaire étaient déjà là. Elle descendit en ascenseur dans son nouveau royaume.

La pièce était claire et accueillante. Naturellement, il manquait encore divers accessoires. Ingrid rêvait d'une machine à éplucher les pommes de terre, d'un surgélateur et d'un lave-vaisselle. Mais d'abord elle ne devait pas voir trop grand. Il fallait attendre les premiers résultats. Jusqu'à maintenant, trente-six locataires s'étaient inscrites comme clientes régulières pour le repas de midi.

Ingrid eut soudain envie de café. Elle alluma un brûleur et mit de l'eau dessus. Pourquoi ne préparerait-elle pas son petit déjeuner dans sa nouvelle cuisine ?

Elle allait et venait en chantonnant et se réjouissait d'être entourée d'objets brillants, tout neufs, agréables à regarder. Bien sûr, elle avait un petit pincement en songeant au prix de ses acquisitions, mais l'argent rentrerait bientôt. Elle avait passé une journée à calculer et à établir son budget. Si ses prévisions étaient exactes, ce libre-service devait s'avérer aussi rentable pour ses clientes que pour elle-même.

Soudain, elle cessa de chanter. Sans savoir pourquoi, elle prit conscience de sa solitude effroyable ; son père était mort, elle n'avait jamais connu sa mère. Elle n'avait ni frère ni sœur et Guillaume lui-même avait disparu de sa vie.

Et cet autre qui aurait peut-être pu représenter une affection s'était évanoui avant même d'être entré dans son existence.

Ingrid ne comprenait plus ses propres réactions. Elle dut prendre un des beaux torchons neufs pour s'essuyer les yeux.

Pchtt! siffla la bouilloire.

Ah! oui, c'était un beau début! Elle était là, en train de pleurer, tandis que l'eau débordait.

Le café avait un arôme prometteur. Elle s'en versait une tasse, lorsqu'elle entendit des pas légers devant la porte.

— Papa Monsen! Je pensais bien que c'était vous. L'odeur du café vous a guidé, n'est-ce pas? Venez, je vous en sers aussi une tasse.

M. Monsen entra en glissant sur ses pantoufles.

— Je ne viens pas exprès pour cela ; j'ai déjà déjeuné, il y a une heure, mais...

— Mais vous boirez bien une tasse pour me tenir compagnie, l'interrompit Ingrid en riant. Buvez donc, papa Monsen, il y en a encore beaucoup dans la cafetière. Au fait..., vous avez déjà déjeuné à six heures? Vous levez-vous avec le soleil?

— Avec le soleil? Vous avez une curieuse notion du temps, petite. Il va être neuf heures.

Ingrid jeta un coup d'œil rapide sur la pendule. Vraiment les aiguilles avaient tourné à toute allure, ce matin.

— C'est déjà bien rangé ici! constata papa Monsen avec satisfaction.

— N'est-ce pas? Et aujourd'hui je vais recevoir les pommes de terre et les provisions nécessaires. Nous commençons lundi.

— Avec quel menu?

— Choisissez, papa Monsen! Si c'est possible, je le préparerai.

Papa Monsen la considéra en souriant.

— Attendez... Je voudrais du steack haché.

— Je m'en doutais, assura Ingrid. Eh bien, c'est entendu. Encore un peu de café?

— Je peux me servir moi-même.

— Mais non, mais non.

Deux personnes ne devraient pas essayer de prendre en même temps une cafetière bouillante; pourtant, c'est ce que firent Ingrid et son visiteur; au même instant, celui-ci gémit de douleur. La cafetière s'était renversée et le café brûlant coulait sur son pied droit.

— Oh! papa Monsen!

Il s'effondra sur un tabouret et Ingrid lui ôta promptement sa pantoufle et sa chaussette. Elle n'avait pas de trousse de premiers soins à la cuisine, mais elle avait du moins des œufs. Elle en étala un sur la brûlure et enveloppa le pied dans un essuie-mains propre.

— Restez un instant ici. Je vais poser votre pied sur un autre tabouret et je cours chez moi chercher une pommade contre les brûlures.

Papa Monsen serrait les dents. Lorsque Ingrid l'eut pansé selon les règles avec de l'onguent et de la gaze, ses douleurs s'apaisèrent enfin et il parvint à sourire.

— Eh bien, fillette, quelle histoire !
— Papa Monsen, je suis désolée, c'est ma faute.
— Non, non, c'est aussi la mienne.
— En tout cas, cela s'est passé dans la cuisine. Quel

beau début ! Appuyez-vous sur moi, je vais vous aider
à vous lever.

Au rez-de-chaussée de l'immeuble se trouvaient les
magasins ; au premier il y avait un salon de coiffure,
un dentiste, une boutique de tricots et l'appartement du
gardien.

Ils pénétrèrent dans une jolie chambre d'angle. Ingrid

installa M. Monsen dans un fauteuil confortable et plaça sa jambe en position surélevée.

Elle n'eut guère le temps d'examiner les lieux. Plus tard, elle se souvint de la grande photographie d'une jeune femme au chignon haut, vêtue d'une robe dans le style des années trente. Ingrid se souvint aussi d'un gros appareil de radio et d'un coin-bibliothèque confortable. Dans sa hâte, elle n'en avait pas vu plus, car elle devait retourner à la cuisine pour prendre livraison de ses commandes.

Cependant elle servit encore un second petit déjeuner à papa Monsen et, avant de partir, elle lui cria depuis la porte :

— Je vous apporterai le repas chaud à quatre heures et demie, papa Monsen.

Vraiment elle avait préparé un plateau appétissant. Elle allait frapper à la porte de papa Monsen quand celle-ci s'ouvrit de l'intérieur.

— Papa Monsen, vous ne devriez pas... Oh !... s'interrompit Ingrid.

Sans doute aurait-elle lâché son plateau de saisissement si de grandes mains solides ne l'avaient pas rattrapé.

— Mais c'est notre petit cordon-bleu ! La soirée d'hier vous a-t-elle réussi ?

— Ah !... fit seulement Ingrid, stupéfaite.

— Entrez, père meurt de faim.

— C'est... votre père ?

— Mais oui. On l'appelle aussi papa Monsen.

— Excusez-moi, déclara Ingrid. Il faut d'abord que je m'asseye.

— J'allais vous le proposer. Installez-vous pendant que je mets le couvert. Voyons. Splendide! Il y en aura même assez pour moi. As-tu déjà dîné? Pardon, je voulais dire avez-vous... Ah! non, je vais te tutoyer et t'appeler par ton prénom. Sers-toi, papa; ces plats ont l'air fameux!

Ingrid était toujours sans voix. Ses yeux allaient d'Olaf Varland à papa Monsen qui la regardait avec un petit sourire ironique.

— Mais comment se fait-il...? commença-t-elle.

— Que mon père s'appelle Monsen et moi Varland? Il est mon beau-père, tout simplement. Mais nous n'y pensons jamais. J'avais deux ans quand il devint mon père; le mien est mort un mois avant ma naissance. Comprends-tu maintenant?

— Oui, murmura Ingrid; mais pourquoi n'as-tu pas raconté...

— Tu sais, j'ai compris seulement hier soir qui tu étais. Papa avait bien dit qu'une certaine demoiselle Mehling était en train d'installer une cuisine au sous-sol. Franchement, je suis si occupé que je n'ai guère le loisir de m'intéresser aux locataires de la maison. Je sais seulement depuis cette nuit que Mlle Mehling, c'est toi.

Ingrid considéra papa Monsen d'un air de reproche.

— Et vous ne m'avez jamais raconté que vous aviez un fils!

— L'occasion ne s'est pas présentée. Quand je suis

avec vous, mes petites, je n'ai pas le temps de parler de moi. Et hier, quand Olaf m'a raconté qu'il avait fait votre connaissance, il a insisté pour que je garde le silence afin de vous laisser la surprise. Au fait, il paraît que vous avez dit beaucoup de mal de moi cette nuit?

Ingrid essaya de se remémorer leur conversation sur le chemin du retour. Elle éclata de rire : elle avait fait quantité d'éloges au sujet de papa Monsen.

Soudain, elle rougit comme une pivoine. Elle se souvenait aussi avec une netteté gênante de sa déclaration : « S'il avait un fils, je serais capable de l'épouser. »

— Pourtant, tu aurais dû remarquer, intervint Olaf, que je n'avais pas pris rendez-vous avec toi. Crois-tu que je vais te laisser disparaître de ma vie alors que je viens de te rencontrer?

Les joues en feu, Ingrid se leva et marcha vers la porte.

— Tu dois partir?

— Oui, j'ai du travail à la cuisine.

— Entendu. Je descendrai le plateau tout à l'heure. Est-ce que tu restes encore un petit moment dans ton souterrain?

Ingrid se contenta de faire un signe de la tête.

De fait, Olaf rapporta le plateau : bien lavée, la vaisselle y était rangée en ordre.

— Tu n'aurais pas dû faire la vaisselle.

— Et pourquoi pas? Et maintenant je m'inscris comme client chez toi, tout au moins jusqu'à ce que le pied de papa soit guéri.

— Il s'est déjà abonné pour le repas de midi, mais, tant qu'il ne peut pas travailler, vous serez mes invités. Je vous dois bien cela puisque j'ai brûlé le pied de ton père qui est si gentil.

— Oui, c'est vrai qu'il est bon.

— Je ne sais pas ce que je serais devenue sans lui.

— Moi non plus. Mes études d'ingénieur ont représenté une lourde charge pour lui. Il a économisé sans arrêt dès que je suis entré dans sa maison. Maman m'a raconté qu'il répétait toujours : « Le petit doit avoir un bon métier. » Il s'est refusé beaucoup de choses pour me constituer un petit capital. Je lui dois vraiment beaucoup.

— Je comprends.

Olaf examina la cuisine.

— C'est bien arrangé ici. A quoi étais-tu occupée ?

— A laver tout le matériel neuf que je viens de recevoir : plats, casseroles...

— Continue, je vais les essuyer.

— Est-ce que papa Monsen ne t'attend pas ?

— Non, il fait sa sieste.

Ingrid continua donc sa vaisselle, le cœur battant, tandis qu'Olaf bavardait ; il lui décrivit ses études, son travail chez Ring et Compagnie et la fierté de son père le jour où son fils était revenu avec son diplôme d'ingénieur.

Olaf recommençait sans cesse à parler de son père.

— Comment allez-vous vous arranger si ton père reste allongé assez longtemps ?

— J'allais justement t'en parler. Il faudra que ces

demoiselles patientent jusqu'à l'après-midi pour leurs verrous dévissés, leurs éviers bouchés, leurs clés égarées. En rentrant, je m'en occuperai dans la mesure du possible. Je vais mettre une affiche à la porte d'entrée, pour qu'elles sachent à qui s'adresser.

— Et moi, je vous monterai vos repas.

— Ne te dérange pas pour le café : je le ferai avant de partir.

— N'avez-vous aucune aide ménagère ?

— Si, une petite jeune fille qui vient deux fois par semaine et s'occupe des gros nettoyages. Nous donnons le linge au-dehors et nous nous débrouillons pour le reste.

— Ne vaudrait-il pas mieux qu'un médecin examine sa jambe ?

— Un médecin ? Crois-tu qu'il acceptera de le consulter ? Tu le connais bien mal ! C'est un vieux marin qui sait tout faire : raccommoder ses chaussettes comme inciser un panaris. Et, les rares fois où il a été malade, il s'est soigné lui-même. Il faut avouer que, jusqu'ici, ses méthodes lui ont réussi.

Ingrid tira le bouchon de l'évier. Tout étincelait de propreté. Elle soupira d'aise.

— Maintenant, je peux commencer.

— C'est lundi, le grand jour ?

— Oui, je m'en réjouis comme une enfant.

— Comment quelqu'un peut-il se réjouir à l'idée de peler des pommes de terre pour trente à quarante personnes ? Voilà qui dépasse mon entendement.

UN MARI POUR INGRID

— J'avoue que cette perspective me fait frémir.
— Hum !
Olaf réfléchissait :
— Écoute, dans notre firme, chez Ring, nous vendons des machines à éplucher. Elles sont horriblement chères, mais parfois il en rentre une d'occasion que nous vendons alors à des prix très avantageux. Veux-tu que j'en cherche une pour toi ?
Ingrid le regarda avec reconnaissance.
— Ce serait très gentil de ta part.
Les voies de Cupidon sont parfois bien étranges. Certes, le clair de lune, la musique douce, un beau paysage, une randonnée à skis dans la neige de printemps sont romantiques. Mais parfois, pourtant..., une éplucheuse à pommes de terre peut l'être aussi.
Au même instant, Olaf prit Ingrid dans ses bras et son visage s'approcha du sien. Elle ferma les yeux et son cœur bondit de joie.

— De quoi? D'un superman avec une voiture de sport, et quelle voiture! Je le ferai dîner ici pour lui donner des idées tendres. J'ignore s'il a des intentions sérieuses, mais moi oui! Il me semble qu'il doit être gourmand.

— Oui... Peut-être que quelques salades...

— Bravo! Un repas froid que nous pourrons déguster au bon moment! Je ne veux pas risquer de troubler notre tête-à-tête par un plat qu'il faudrait manger chaud. Voyons... Promenade à six heures : il vient me chercher en auto. Dîner ici vers neuf heures ou même plus tard. Puis-je venir chercher tes merveilles vers six heures pour les avoir toutes prêtes dans ma cuisine?

— C'est entendu.

— Merci. A tout à l'heure.

La jeune fille passa toute la journée dans sa cuisine pour mettre au point ses derniers préparatifs. Demain, ce serait le grand jour. Elle s'occupa aussi du dîner de papa Monsen et des amuse-gueules destinés à séduire le soupirant de Sonia. Tout en travaillant, Ingrid souriait. Si elle préparait une « salade de harengs à la Guillaume », elle ne verserait plus de larmes amères, c'était bien fini! Ingrid hacha, tourna et, d'humeur joyeuse, décora son plat de la même façon que jadis pour l'anniversaire de Guillaume.

Elle découpa des roses en betteraves rouges et les disposa en rond autour de la salade arrangée en demi-sphère; un clou de girofle formait leur étamine et, dans

CHAPITRE VI

INGRID s'éveilla de bon matin en se réjouissant qu'on fût dimanche. Aujourd'hui, elle allait se donner congé et, en bas, chez le gardien, quelqu'un d'autre avait le même projet. Ils feraient une longue et magnifique promenade.

Ingrid ouvrit les volets. Oui, la nature était compréhensive; un soleil rayonnant promettait mille surprises : des chatons de saule, des anémones, des narcisses...

Son cœur battait à grands coups. Depuis qu'Olaf l'avait aidée à laver la vaisselle, quelques jours auparavant, ils ne s'étaient guère revus. Olaf assumait les fonctions de son père, toujours obligé, malgré ses protestations, de rester la jambe étendue sur un tabouret. Le nombre des locataires qui réclamaient les services d'Olaf était considérable. Entre-temps, il soignait son père. Au bureau, il faisait des heures supplémentaires et ne rentrait que tard le soir chez lui.

Cependant, il avait toujours eu le temps de faire une petite visite à Ingrid dans sa cuisine, de lui parler gentiment ou de plaisanter avec elle et de l'embrasser.

Mais aujourd'hui !

Aujourd'hui, ils allaient disposer de nombreuses heures pour eux deux. Ingrid préparerait le petit déjeuner de papa Monsen et, quand elle reviendrait de son excursion avec Olaf, ils dîneraient tous les trois ensemble.

Le téléphone sonna.

— Allô ? répondit Ingrid d'une voix vibrante de bonheur.

Hélas ! ce n'était pas Olaf, mais papa Monsen.

— Bonjour, petite empoisonneuse. J'ai un message tragique à vous communiquer.

— Mon Dieu !

— Olaf m'a demandé de vous appeler. Figurez-vous que le pauvre a dû partir avec le premier train dans un hôtel de province. Ils ont appelé aux aurores pour une panne dans leurs cuisines ; et comme l'installation a été faite par Ring...

Ingrid éprouva une déception si vive qu'elle dut avaler une ou deux fois sa salive avant de pouvoir articuler :

— Quelle malchance ! Quand Olaf rentrera-t-il ?

— Demain matin, a-t-il dit. Seulement, Ingrid...

— Je comprends, papa Monsen ; je vais vous préparer votre petit déjeuner.

Un quart d'heure plus tard, elle lui apportait son plateau.

Papa Monsen la regarda en plissant les yeux d'un air gentil :

— Très déçue, pauvre petite ?

— Ah ! je me consolerai.

— Olaf en a dit autant. Maintenant, pour ne pas mourir de faim aujourd'hui, je vais vous demander...

— Papa Monsen, déclara Ingrid solennellement, il y a peu de choses certaines au monde, mais je vous garantis que vous aurez un déjeuner digne d'une table royale.

— Et moi, je sais une autre chose qui est certaine, sourit papa Monsen d'un air entendu.

— Laquelle ? demanda Ingrid, intriguée.

— Je vous le dirai quand le moment sera venu..., répondit papa Monsen avec une expression taquine.

Ce fut une journée bien remplie pour notre amie ; à peine avait-elle regagné son logis qu'on sonna à sa porte. C'était Sonia.

— Hello, Ingrid ! As-tu commencé à travailler dans ton laboratoire ? Pourrais-tu me mitonner quelque chose ?

— De quoi s'agit-il, Sonia ?

de petits cornichons, elles avait ciselé des feuilles et des tiges vertes.

Vraiment, cette préparation était élégante.

Sonia se montra enthousiasmée quand elle vint chercher la salade.

— Eh bien, j'ignorais que tu avais aussi des talents de sculpteur ! Que doit-on dire en déposant un pareil chef-d'œuvre sur la table ?

— Je ne sais pas. La première fois que j'ai servi cette salade à un jeune homme, j'ai dit : « J'espère que ce sera bon, c'est moi qui ai inventé cette recette. »

— Bonne idée. L'invention de la recette est sensationnelle. A vrai dire, je suis incapable de distinguer un chou-rave d'un coq de bruyère tant que je ne les vois pas présentés convenablement dans mon assiette. Au revoir ! Et n'oublie pas d'inscrire cela sur ma note !

Ingrid ne pensa plus à Sonia. Il valait mieux ne pas perdre son temps. Avec un soupir, elle s'installa devant un seau de pommes de terre.

Pommes de terre, éplucheuse, Olaf, baiser, amour, fiançailles, mariage, enfants, papa Monsen devenu grand-père, ses idées s'enchaînaient tandis que le seau se vidait de ses pommes de terre. Alors, le dernier maillon de ses pensées se rattachait au premier, interrompu par la petite diversion du dîner de papa Monsen.

Peu à peu, Ingrid se rendit compte que cuisiner pour trente-six ou trente-huit et même trente-neuf personnes (en se comptant) représentait un travail capable de remplir la vie d'une femme! Il ne lui resterait guère de temps libre!

À onze heures du soir, elle se leva en soupirant. C'était vraiment honteux : elle n'avait pas mis le nez dehors de toute la journée, par un si beau soleil!

Enfin, Sonia, elle, aurait fait une promenade agréable!

— Entrez! cria-t-elle, car quelqu'un avait frappé à la porte.

Une silhouette familière apparut.

— Par exemple, Guillaume!

— Moi-même! Grand merci pour ton message.

— Un message? Mais je ne t'ai pas écrit!

— Vraiment pas! Ah? comme tu es roublarde, Ingrid! Les yeux de Guillaume étincelaient d'un éclat malicieux.

— Je ne vois pas de quoi tu veux parler.

— De la salade de harengs.

— La salade...

Soudain, Ingrid comprit la situation.

— ... de harengs. Que faut-il penser quand votre passion du moment vous offre un plat en baissant modestement les yeux tout en déclarant : « J'espère que ce sera bon, c'est moi qui ai inventé cette recette. » Ainsi, elle vous transmet le message d'une autre femme aimée naguère.

— Guillaume, je n'avais absolument pas soupçonné que c'était toi l'invité de Sonia. Elle a juste mentionné un homme avec une voiture de sport, mais toi, tu n'en as pas.

— Mais si, je l'ai achetée d'occasion. Elle est encore très bien. Veux-tu l'essayer?

— Non, merci! Si j'avais su que c'était toi, j'aurais accommodé une autre salade.

— Celle-là était délicieuse. Mais j'ai horreur des filles qui mentent en s'attribuant le travail des autres, même s'il ne s'agit que de cuisine. Je me suis fâché, Sonia aussi. Et, au moment où j'allais décrocher mon chapeau de l'un des chats délirants dont elle a décoré son entrée, je vois cela sur la petite table.

Il tira une carte de sa poche : c'était celle d'Ingrid annonçant qu'au sous-sol (deuxième porte à droite de l'escalier) on pouvait commander des repas et des plats pour buffets froids.

— Ah! dit Ingrid, Sonia a été maladroite! Faut-il prendre ce malentendu si au sérieux, Guillaume? Disons qu'elle a un peu travesti la vérité au service d'une bonne cause!

— D'abord, je n'aime pas les mensonges. Toi, je pouvais te croire. Quant à sa bonne cause, c'était ma voiture, oui!

Il se tut et regarda Ingrid. Elle avait les joues toutes roses d'avoir tant travaillé et ses cheveux qui dépassaient de son bonnet blanc se roulaient en petites boucles.

— Comme tu es jolie! déclara brusquement Guillaume.

Il avait dans sa voix une chaleur qui rappelait à Ingrid leur heureux passé.

Elle rougit et se mit à rire.

— Et tu viens me dire cela en sortant de chez Sonia qui est si ravissante?

— Écoute, son nez est plus droit que le tien, son visage plus ovale, ses sourcils plus étroits et plus recourbés, mais ce n'est pas suffisant pour être belle.

Il s'approcha, lui souleva le menton et la regarda droit dans les yeux.

— Ingrid, dit-il doucement.

Et ce mot chuchoté par une voix dont elle se souvenait si bien fut à l'origine de bien des difficultés.

La veille, un autre se tenait à la même place. Il avait aussi murmuré : « Ingrid. » Il avait...

Ingrid recula d'un pas.

— Assez de bêtises, Guillaume.

— Ce ne sont pas des bêtises. Viens donc faire un petit tour en auto, Ingrid.

— A onze heures du soir? Non, grand merci.

— Écoute-moi. Je reconnais que j'ai été idiot. Et si je t'avouais que je t'ai toujours regrettée? Nous avons été proches pendant cinq ans, Ingrid. On ne raie pas d'un trait de plume cinq ans de sa vie. Cinq ans! Viens avec moi, ce ne sera pas notre première promenade nocturne, n'est-ce pas?

Ingrid le regarda. Elle n'aurait pas été femme si ces mots n'avaient produit nulle impression sur elle. Ainsi, il n'avait pas cessé de penser à elle. Et point n'était besoin de lui dire comme il est difficile d'effacer cinq années de son existence.

Mais elle croyait encore entendre d'autres propos :
« Et tu veux descendre dans l'échelle sociale? »

Ingrid sentait à nouveau l'amertume l'envahir.

— Ce ne serait pas notre première promenade tardive, c'est vrai. Mais ce serait sans doute la première fois que tu emmènerais une personne qui a dégringolé comme moi dans l'échelle sociale. Naturellement, ce serait bien pratique de faire ce tour dans l'obscurité : personne ne verrait que tu sers de chevalier servant à une cuisinière.

La dureté de sa voix la surprit elle-même.

— Miséricorde, murmura Guillaume.

Le sang lui monta au visage. Accablé, il se laissa choir sur un tabouret, se cachant la tête dans les mains.

— Tu es impitoyable envers moi. Je l'ai bien mérité.

Debout près de lui, Ingrid regardait sa nuque ployée, cette nuque étroite et brune où la chevelure sombre se terminait en pointe. Elle se souvenait des nombreuses fois où ses doigts avaient caressé cette nuque et joué avec ces mèches.

De le voir si faible et désemparé, Ingrid fut attendrie et effleura ses cheveux.

— Toi aussi, tu as été impitoyable avec moi, Guillaume. Nous ferions mieux de ne plus en parler. Merci de ta visite, et maintenant pars, je t'en prie.

Il se leva et la prit dans ses bras.

— Ingrid, tu es à moi. Pendant cinq ans, tu as été mon amie!

Elle tenta de se dégager, mais il la tenait d'une poigne de fer.

— Ingrid, tu ne peux pas m'oublier si vite. Je te demande pardon, j'ai été infect et stupide. Ma chérie, je ne savais pas combien je t'aimais avant de te perdre. Écoute-moi...

— Lâche-moi, Guillaume !

— Ingrid, tous les jours j'ai pensé à toi, tout le temps. Seulement, je n'avais pas le courage de venir te trouver, tant j'avais honte. Aujourd'hui, il m'a semblé que tu étais tout près de moi : as-tu déjà entendu dire que la salade de harengs pouvait porter des messages d'amour ?

Ingrid sourit malgré elle.

— Il n'était pas question d'amour ; navrée de te décevoir.

— Tu as bien changé, Ingrid. Comme tu es froide et désabusée !

— T'attendais-tu à ce que je pleure pendant des mois ?

— Non, pourtant je croyais... Ingrid ! (Sa voix soudain devint rauque.) Ingrid, y a-t-il quelqu'un d'autre ? En aimes-tu un autre ?

— Et quand cela serait ? C'est mon affaire.

— Essaie, essaie donc ! Aucun autre homme n'a le droit de te toucher, entends-tu ? Pendant cinq ans, tu as été...

Guillaume l'attira près de lui et l'embrassa brutalement sans s'inquiéter de sa résistance.

Ingrid eut beau se débattre, elle ne put se dégager.

UN MARI POUR INGRID

Elle ne comprenait plus comment elle avait pu prendre plaisir à ses baisers.

— Quelle déveine! s'exclama Olaf en regardant sa montre.

Onze heures et demie. Il était trop tard pour monter au septième. Eh bien, il faudrait patienter jusqu'au lendemain.

« Ah! cette petite Ingrid! » se dit-il en souriant.

Il avait travaillé toute la journée dans la cuisine de cet hôtel de tourisme dont il avait réparé les installations. Bien qu'il ait eu le dernier train, il était trop tard maintenant...

C'est alors qu'il vit de la lumière au sous-sol.

Courageuse Ingrid! Était-elle encore occupée? Peut-être était-elle penchée sur ses fourneaux et pourrait-il se faufiler dans son domaine et lui mettre la main sur les yeux...

Tout doucement, Olaf descendit les escaliers et ouvrit la porte sans bruit.

D'un seul coup, il s'arrêta. Il voyait un homme de dos penché sur une petite silhouette de blanc vêtue, qui disparaissait entre ses bras. Ni l'un ni l'autre ne s'aperçut que la porte s'ouvrait... et se refermait aussitôt.

Olaf remonta lentement au premier.

Il n'y avait rien à y redire : ils n'étaient pas liés l'un à l'autre. Pourtant, comme Olaf fut heureux de trouver son père endormi! Ainsi, il n'était pas obligé de parler.

Olaf suspendit son chapeau à un crochet et se déshabilla.

Alors, il entendit une auto démarrer : il jeta un coup d'œil par la fenêtre.

La lumière du réverbère tombait sur une nuque brune et un costume gris qu'il venait de voir.

« Ah, ah! pensa Olaf amèrement, un beau brun avec une voiture fantastique, voilà de qui il s'agit! »

Bien sûr, Ingrid ne lui avait rien promis et il ne lui avait rien demandé.

Mais ce baiser, leurs baisers, l'excursion qu'ils avaient projetée pour aujourd'hui... Comment avait-il pu se tromper à ce point sur elle? Car une fille qui vous embrasse ainsi, pour s'amuser, c'est une..., une... En y pensant, Olaf serra les dents avec rage.

Il ne trouva pas le sommeil cette nuit-là.

Pas plus que certaine jeune fille de l'appartement 704.

CHAPITRE VII

C E fut sans doute un bien pour Ingrid d'avoir beaucoup de travail le lendemain : elle n'eut pas le temps de penser à ses problèmes personnels.

Les plateaux étaient rangés en ordre de bataille avec des étiquettes indiquant les noms de leurs destinataires : elles les avaient apportés le matin et Ingrid avait noté à quelle heure elles reviendraient les prendre.

Elle cuisit, pétrit, rôtit à la sueur de son front, tout en attendant avec impatience qu'il fût quatre heures et demie pour monter deux repas chez le gardien.

Ah! s'il n'y avait pas eu cet incident avec Guillaume! Elle avait fini par se dégager et inciter Guillaume à s'en aller.

Non, elle ne l'aimait plus, sûrement plus. Il l'avait fait beaucoup souffrir, et elle était heureuse d'avoir surmonté son chagrin. Cependant, elle éprouvait une satisfaction secrète à constater qu'il ne parvenait pas à l'oublier. Et, quand une femme se sait aimée et désirée, il lui est bien difficile d'éprouver de la rancœur.

— Olaf n'est pas rentré, dit papa Monsen quand Ingrid lui apporta son repas. Il fait vraiment beaucoup d'heures supplémentaires, ce pauvre garçon!

Ingrid fut profondément déçue. A ce moment-là, elle comprit combien elle s'était réjouie de le voir! Mais elle se consola : il passerait sûrement chez elle dès son retour.

Ingrid retourna dans sa cuisine, rangea, fit la vaisselle et attendit. Elle pela des pommes de terre pour le lendemain, en attendant toujours. Et, quand elle eut terminé, elle éprouva le sentiment angoissant d'avoir une boule dans le gosier. Lorsqu'elle se décida à quitter sa cuisine pour gagner son logis solitaire, une pensée incongrue se glissait dans son esprit : peut-être que ç'aurait été agréable de faire un petit tour avec Guillaume?

— Hello, Ingrid?

Ingrid soupira. Elle n'avait guère envie d'entamer une

conversation avec Sonia, pourtant la jeune fille était encore plus bavarde que d'habitude. Si Ingrid s'était imaginé la trouver gênée ou contrariée du contretemps de la veille, elle s'était lourdement trompée.

— Hier, tout a été joliment raté, s'esclaffa-t-elle. Tu connaissais ce garçon ? Il a fait une drôle de tête en voyant la salade de harengs, et là-dessus le voilà qui se met à crier, ce mufle..., et maintenant plus question pour moi de promenades en voiture, je peux te l'assurer ! Mais dis-moi, Ingrid, as-tu vu le nouveau gardien ? Une vraie vedette de cinéma ! J'ai téléphoné en bas parce que mon évier était complètement bouché. Quand on a sonné, j'ai cru que c'était papa Monsen. Je m'élance pour ouvrir, toute décoiffée, des traces de rouge défraîchi sur les lèvres, et me voilà devant l'homme de mes rêves, portant sa boîte à outils. Tu savais que papa Monsen avait un fils, toi ?

Sonia dut s'arrêter pour reprendre haleine.

— Oui, dit Ingrid, je le connais.

— Tu dis cela d'un ton aussi tranquille que si je te demandais si tu as vu le facteur ! Ingrid, je sens que mon évier sera bientôt bouché à nouveau, ou alors je provoquerai un court-circuit ou je dévisserai la crémone.

Ingrid se sentit petite, pâle et peu séduisante après le départ de Sonia. C'était donc chez elle qu'Olaf avait passé l'après-midi !

« Et voilà ! » pensa Ingrid.

Les jours passèrent. Ingrid s'affairait, maigrissait,

devenait de plus en plus silencieuse. Elle faisait les courses, cuisinait, livrait les repas, entendait des exclamations et des cris d'admiration, elle avait quelques commandes pour des réceptions entre amis... Tout cela aurait été formidable si, si...

A plusieurs reprises, elle avait rencontré Olaf : il se montrait bref, aimable et très distant. Ingrid ne voyait qu'un seul motif à son attitude : Sonia.

Mais elle aurait préféré s'arracher la langue plutôt que de se permettre la moindre allusion. Si Olaf ne l'avait embrassée que par emballement momentané, il ne fallait pas qu'il pense que ses baisers avaient de l'importance pour elle.

Le cœur lourd, Ingrid continuait à cuisiner.

— Ingrid, surpasse-toi ! Prépare la salade de ta vie, ou des coquelicots froids, ou ce que tu veux, pourvu que ce soit bon !

Ingrid eut un pâle sourire.

— S'agit-il cette fois du propriétaire d'une Mercedes 600 ?

— Mercedes ? Ah ! non. Les autos, je m'en moque. D'ailleurs, il vaut mieux que tu sois au courant. Nous n'allons pas recommencer l'histoire de la salade de harengs. C'est lui, comprends-tu ?

— Qui lui ?

— Olaf, naturellement. Je ne peux pas boucher continuellement les conduites et arracher les verrous pour l'attirer chez moi : cela finirait par se remarquer ! D'ailleurs, papa Monsen est guéri.

UN MARI POUR INGRID

Ingrid était au courant : papa Monsen venait maintenant lui-même chercher ses repas.

— Nous devons donc passer à d'autres méthodes.
Ingrid, je suis décidée à faire des frais : il me faut quelque
chose de très bien. Tu vois la situation !

« Oh ! que oui ! Je ne la vois que trop ! » se disait Ingrid
avec amertume.

Elle ferma la porte à clé avant de se mettre à préparer
de la salade de homard et des volailles en chaud-froid.
Personne n'avait besoin de voir couler ses larmes. Si
les quartiers de poulet finirent par être en ordre symé-
trique sur le plateau, ce fut vraiment un hasard, car
Ingrid n'y voyait rien tant elle avait les yeux embués
de larmes.

Jamais Ingrid ne s'était sentie aussi esseulée que ce
soir-là quand elle eut livré sa commande et se retrouva
en proie à la pensée torturante que Sonia et Olaf, Olaf
et Sonia...

Elle essaya en vain de lire, de tricoter, d'écouter la
radio, sans parvenir à se concentrer. Pour finir, elle n'y
tint plus : elle savait comme elle se sentirait misérable
si elle passait ainsi toute la soirée.

Non, il valait mieux faire une promenade.

Elle venait d'enfiler son manteau quand le téléphone
sonna.

— Ingrid ? interrogea une voix prudente, une voix
qu'elle connaissait bien.

— Ah ! Guillaume ! Bonsoir.

— Que fais-tu donc ?

UN MARI POUR INGRID

L'ombre d'un sourire passa sur les lèvres d'Ingrid.

— Tu appelles pour savoir ce que je fais? Quel original tu es! Eh bien, je suis en train de boutonner mon manteau, si cela t'intéresse vraiment.

— Pourrais-tu finir de le boutonner et te trouver dans cinq minutes devant la porte d'entrée? Si toutefois tu n'as pas rendez-vous avec quelqu'un d'autre...

— Non, curieusement, ce n'est pas le cas.

— Ne voudrais-tu pas accepter une petite promenade avec moi, Ingrid?

— Si, c'est entendu.

— Tu es raisonnable : dans cinq minutes, je serai chez toi.

La voiture était vraiment sensationnelle et la soirée douce et tiède. Guillaume avait ouvert la capote et l'air caressait le visage brûlant d'Ingrid.

Guillaume conduisait vite et cela lui plut : elle avait ainsi le sentiment d'échapper à un maléfice qui la poursuivait. C'était merveilleux de rouler à cette vitesse et de s'enfuir le plus loin possible.

— Fatiguée, Ingrid?

— Un peu. J'ai beaucoup de travail.

— Et tu regrettes?

— Quoi donc?

— Eh bien, cette occupation, naturellement.

— Oh! non, sûrement pas! Pour moi, cela représente plus que de la cuisine, c'est un but dans la vie : je rends

80

service à un tas de gens qui restent gais et en bonne santé, grâce à moi. (Ingrid s'était échauffée en parlant.)

— Allons, ne t'énerve pas, ma jolie. Si tu as trouvé un but dans la vie, tu m'en vois enchanté.

Le ton était légèrement ironique.

— Tu n'as pas besoin de te moquer ; bien sûr, ce n'est qu'un but modeste.

— Mais non, je ne raille pas du tout.

— Tu devrais habiter tout seul dans un studio et ne plus avoir la force de te préparer un repas convenable quand tu rentres ; alors tu saurais...

Ingrid était lancée : elle lui expliqua en détail les difficultés de ses voisines. Guillaume l'écoutait avec un petit sourire tandis que sa voiture dévorait les kilomètres. Ingrid ne savait pas bien pourquoi elle parlait ainsi.

Ils étaient très loin de la ville quand Guillaume s'arrêta sur une hauteur. Le soleil venait de se coucher et les nuages se coloraient de rose pâle.

Pendant un moment, ils restèrent en silence, l'un près de l'autre. Puis Guillaume mit son bras sur ses épaules, mais elle le repoussa.

Il sourit :

— Drôle de petite, Ingrid ! Tu me rappelles tes dix-neuf ans.

— Ah ?

— Oui. Alors, tu t'écartais ainsi de moi. Tu n'étais pas le genre de fille qu'un garçon peut embrasser tout de suite. J'ai eu beaucoup de patience, Ingrid, tu dois le reconnaître.

Ingrid ne répondit pas. Ces mots de Guillaume évoquaient des souvenirs vieux de cinq ans : l'air froid et vif d'une soirée de printemps, la fonte des neiges et le murmure d'un ruisseau.

Comme elle était jeune et fragile alors, et tendrement éprise !

— Devrons-nous retourner jusque-là, Ingrid ?

Elle tourna lentement la tête vers lui.

— Que veux-tu dire ?

— Nous faut-il tout reprendre au début ? Ne pouvons-nous pas renouer là où nous nous sommes interrompus ?

Ingrid avait un regard fixe.

— Non, nous ne pouvons pas renouer là où nous nous sommes interrompus, répondit-elle mécaniquement, comme si cela lui avait demandé trop d'effort de trouver d'autres mots.

— Je dois donc tout recommencer ?

Maintenant, elle se reprenait, mais elle répondit d'une voix encore lointaine :

— Tout recommencer ? Je ne puis te l'interdire, mais je ne peux rien te promettre, absolument rien.

CHAPITRE VIII

Il fallut à peine quinze jours à Ingrid pour prendre l'habitude de préparer un repas pour trente ou quarante personnes, de parcourir de longs couloirs pour porter à des malades leur repas de midi, de faire les courses après avoir pensé ses menus et d'entendre des remerciements.

Les promenades avec Guillaume devinrent aussi une

habitude. Et Ingrid s'accoutuma aussi à ce pincement dans son cœur et au regret d'avoir perdu Olaf qu'elle commençait à aimer.

Le lendemain de la visite d'Olaf, Sonia rayonnait.

— Ce garçon est sensationnel! annonça-t-elle en venant chercher son plateau. Tout à fait remarquable. Je t'abandonne de grand cœur l'homme à la voiture sport. Au fait, il y a branle-bas de combat au Bristol, samedi. Veux-tu deux entrées?

Ingrid connaissait assez le jargon de Sonia pour comprendre qu'elle parlait d'un défilé de mode.

Elle invita tante Ingeborg à l'y accompagner.

Et quand Sonia s'avança, souple et flexible, de sa démarche aérienne, sur le parquet ciré, les yeux brillants, les traits soulignés par un maquillage discret, Ingrid comprit ce qui jusqu'alors lui échappait : comment Olaf appréciait la compagnie de cette fille si belle, mais si superficielle. Si Sonia prenait cette expression, si elle évitait de s'exprimer dans son argot vulgaire, si elle l'écoutait avec ce sourire éclatant de tendresse, ce n'était pas étonnant qu'il oublie la modeste petite Ingrid avec son bonnet blanc et ses bonnes joues roses de cuisinière...

Sonia présenta les plus beaux modèles et eut un succès fou. D'ailleurs, c'était elle le mannequin-vedette.

— Je t'ai aperçue hier dans une belle auto, dit tante Ingeborg, et il m'a semblé y reconnaître Guillaume.

— Oui, dit Ingrid.

— Ah! très bien. Vous vous êtes réconciliés, alors?
Au fait, comment peut-il s'offrir une voiture pareille?

— Il a fait un petit héritage de son parrain.

— C'est une chance. Tu m'avertiras à temps de la
date de votre mariage, car il m'incombe de m'occuper
des préparatifs!

Tante Ingeborg touchait un point sensible!

Guillaume n'avait jamais parlé mariage, ni au temps
où il n'avait que son salaire, ni maintenant qu'il était
un homme aisé.

Ils avaient passé cinq années heureuses. A présent,
il lui téléphonait presque tous les jours et s'intéressait
beaucoup à elle — mais ne pensait toujours pas à se
marier. Il voulait être le seul à avoir des droits sur elle,
c'était net, mais comment se représentait-il l'avenir?

Jamais il ne faisait allusion à un avenir commun.

— J'ai envie d'aller en Italie... J'aimerais changer
d'appartement. Je pense acheter un chien.

Ingrid soupira : elle était complètement désemparée.
Et, si Guillaume lui demandait sa main, elle ne savait
pas ce qu'elle devrait lui répondre.

Par une fenêtre du logement du gardien, on pouvait
voir les voitures qui s'arrêtaient devant la résidence :
chaque jour, deux yeux guettaient la belle voiture sport,
voyaient Ingrid qui y montait ou en descendait... « Comme
on peut se tromper! » pensait Olaf amèrement. Il aurait
cru Ingrid tout autre.

Mais chacun pouvait commettre une erreur de juge-
ment. Le mieux était de la chasser de son esprit.

UN MARI POUR INGRID

Quand Sonia l'invita à prendre le café, il accepta avec reconnaissance.

En juin, quelques-unes des jeunes femmes vinrent annoncer qu'elles ne prendraient plus de repas : les vacances avaient commencé. En juillet, il y aurait encore plus de défections. Ingrid fit des calculs et constata que cela ne lui rapportait plus de continuer à travailler, aussi décida-t-elle de fermer la cantine jusqu'à fin août. Elle se sentait très fatiguée et avait besoin de vacances.

— Ah! bon, dit papa Monsen, nous voilà condamnés à préparer notre déjeuner nous-mêmes.

— Je veux bien continuer à cuisiner pour vous et pour Olaf, déclara Ingrid.

— Non, fillette, il n'en est pas question. Il vous faut un changement d'air. Vous avez effroyablement maigri. Je suis très capable de me débrouiller et Olaf part samedi prochain dans un refuge de Gudbrandsdal, le veinard!

Le soir, Ingrid rencontra Sonia :

— Hello, qu'est-ce qu'on me dit? Tu fermes boutique? Enfin, cela ne me dérange pas, je pars samedi.

— A la mer ou à la montagne? demanda Ingrid sans savoir au juste pourquoi elle posait la question — un pressentiment obscur semblait l'avertir.

— Dans un refuge sensationnel de Gudbrandsdal. Trois semaines. Et toi?

— Je ne sais pas encore, répondit machinalement Ingrid dont les lèvres blêmirent.

UN MARI POUR INGRID

Ingrid était démoralisée. Sonia était partie et papa Monsen s'affairait tout seul dans le petit logement du premier.

Ingrid n'avait de goût à rien. Pourtant, elle se rendait compte qu'elle avait absolument besoin de changer d'air.

— Ingrid, j'ai une idée. Si nous partions pour une semaine à Copenhague? proposa Guillaume. Je t'invite.

Brusquement, Ingrid sentit monter une colère accumulée depuis longtemps. D'une voix tranchante, elle articula :

— A Copenhague? Ce doit être merveilleux. J'irai sûrement là-bas avec mon époux, si je me marie un jour.

— Pas avec moi, alors?

— Non, je ne pars pas à l'étranger avec un homme qui n'est ni mon fiancé ni mon mari.

— Miséricorde! s'exclama Guillaume.

Ingrid était si furieuse qu'elle parvenait à peine à retenir ses larmes. Elle en avait assez, assez, assez!

Elle n'avait plus envie de voir Guillaume. Plus rien ne l'attirait. Elle allait partir, loin de tout, s'enterrer dans un trou à la campagne...

Elle décida donc de se rendre en ville pour étudier son voyage dans une agence.

— Ingrid, par exemple!

Devant elle se dressait un homme en uniforme chamarré de tresses d'or.

Ingrid ne le reconnut pas tout de suite, puis, soudain, elle s'écria :

— Tom! Est-ce bien toi?

— Mais oui ! Comment vas-tu, Ingrid ? Voilà une éternité que je ne t'ai vue ; depuis l'école, il me semble.

— Je vais très bien, merci. Et toi ? Que signifie cet élégant uniforme ?

— Chère mademoiselle, c'est le signe de ma situation chargée de responsabilités. Je suis maintenant premier steward sur la *Naïade*... Connais-tu la *Naïade* ?

— De vue. C'est un magnifique bateau de tourisme.

— Tu as raison.

— Premier steward, répéta Ingrid avec un petit sourire. Alors, nous travaillons presque dans la même branche.

— Comment cela ?

— Eh bien, tu as la charge des passagers et, moi, je nourris tous les jours près de quarante personnes.

Un éclair dans les yeux de Tom montra qu'il portait à ces propos plus qu'une attention polie : il semblait tout à coup avoir une idée.

— Explique-moi cela.

Ingrid lui raconta son organisation d'un service de repas. Tom l'écoutait avec un vif intérêt.

— Et, actuellement, tu es en vacances ?

— Oui, depuis samedi. Je me demande justement ce que je vais faire pendant ce temps.

— Je vais te le dire, fit Tom en la prenant par le bras. Tu vas aller en Écosse, aux îles Orcades, aux îles Féroé et en Islande, à bord de la *Naïade*, et te charger de la cuisine des plats froids. Depuis ce matin, je cours comme un fou dans toute la ville. Nous levons l'ancre dans deux jours, toutes les places sont retenues et le chef cuisinier qui s'occupait des buffets froids a une crise d'appendicite! J'ai essayé en trente endroits de lui trouver un remplaçant et voilà que je te rencontre! Alors, acceptes-tu?

— Oui. Mais...

— Monte à notre bord : je te montrerai les cuisines les plus modernes du siècle. Tu as l'habitude de t'occuper d'un grand nombre de personnes, c'est là l'essentiel. Nous pourrons discuter tous les détails ensuite. Hep, taxi!

» Quai n° 8, s'il vous plaît, demanda Tom, et ils firent route vers la *Naïade*.

Ce soir-là, Ingrid resta debout bien après minuit. Elle lava ses blouses et sa lingerie, tria des collants, des bonnets, des tabliers. Demain, il lui faudrait encore changer des devises. Heureusement, elle avait un passe-port en règle. Après-demain, déjà, elle dormirait dans une cabine de la *Naïade*.

La traversée toute proche occupait ses pensées : elle n'avait pas le temps de songer à Guillaume. Et, quand son imagination évoquait un refuge de montagne de Gudbrandsdal, Ingrid s'obligeait à prévoir son emploi du temps dans les cuisines de la *Naïade* où elle avait bien des motifs de préoccupation.

CHAPITRE IX

L A *Naïade* — magnifique paquebot blanc — se
balançait sur les vagues bleues et le soleil inondait
le pont.

Heureux de jouir de leurs vacances, les touristes
allongés sur des chaises longues se faisaient brunir.
Des revues multicolores, des romans policiers, des tricots
et des bouteilles de limonade étaient éparpillés autour

91

d'eux. Le personnel du pont allait et venait sans inter-ruption pour porter coussins, cigarettes ou boissons glacées. Sur le pont, on jouait aux anneaux. Ici, un transistor hurlait à pleine puissance ; là, un tourne-disque débitait des airs à la mode. Partout régnait l'atmosphère insouciante des vacances.

Aucun des joyeux touristes n'accordait une pensée à la grande machinerie de l'intérieur du bateau, à tous les gens qui travaillaient sans arrêt à leur rendre la vie si facile.

Aucun ne connaissait l'existence de la jeune fille qui se trouvait dès le matin dans sa cuisine pour créer toutes les merveilles qui les enchantaient au grand buffet froid du lunch.

Bien sûr, Ingrid avait des aides. Mais elle devait s'acquitter elle-même de bien des tâches. Quoique fati-gant, ce travail lui donnait des joies et constituait un merveilleux dérivatif : elle n'avait littéralement pas le loisir de songer aux tristes événements de son existence. Pourtant, le soir, quand elle regagnait sa cabine, elle évoquait Gudbrandsdal et ses larmes mouillaient l'oreiller..., mais pour un oreiller dans un bateau, l'eau salée n'a rien d'extraordinaire !

Quand on avait expliqué à Ingrid ce qu'on attendait d'elle, elle avait été prise de panique. C'était tout autre chose que les trente-six modestes plateaux de ses mo-destes pensionnaires !

— Vois-tu, commenta Tom, tu n'as pas besoin de

préparer d'énormes quantités de chaque plat. Le buffet froid doit toujours proposer un échantillonnage très varié de mets recherchés dont l'aspect soit engageant.

Ingrid se mit à l'ouvrage avec énergie. Elle découpa des volailles, accommoda des salades, des crudités, des poissons en gelée, mettant en œuvre toute son imagination et son savoir-faire. Le bateau avait des provisions qui semblaient inépuisables, les cuisines étaient installées de façon ultra-moderne. Sûre de réussir, Ingrid se sentait venir l'eau à la bouche.

Il en était de même pour les convives. Pendant le service du lunch, Ingrid se tint dans l'office derrière la salle à manger et entendit par le passe-plat des commentaires qui réjouirent son cœur de cuisinière. Et Tom, son supérieur, en fut également ravi.

— Tu es vraiment née pour ce travail, Ingrid, affirma-t-il. Si tu parviens à te maintenir à ce niveau, je pourrai me féliciter que tu te sois trouvée sur mon chemin.

Encouragée par ces éloges, Ingrid se donna deux fois plus de mal, tâchant même d'améliorer encore ses recettes. Bien sûr, elle ne disposait plus que de rares moments de liberté et, le soir, elle regagnait sa couchette, brisée de fatigue.

— Réjouis-toi d'être une jeune fille, déclara Tom. Au moins, tu disposes d'une cabine pour toi seule : nous ne pouvions tout de même pas t'installer avec Jensen et Ström.

Ces derniers étaient les chefs de la cuisine chaude.

UN MARI POUR INGRID

Cette circonstance valut à Ingrid un autre privilège : Tom l'emmena prendre ses repas au carré des officiers. Son rang était assez imprécis, mais Tom assura qu'il devait être mis sur le même plan que Greta, l'infirmière, qui avait rang d'officier.

Ingrid eut ainsi l'occasion de jouir d'un petit triomphe. Les officiers d'un paquebot détestent deux choses : les indiscrets et les plats froids. Ingrid le remarqua dès le premier jour en les voyant négliger les amuse-gueules et leur préférer un solide bifteck et une tasse de café noir. Le lendemain, l'un d'eux goûta par curiosité les bagatelles préparées par la nouvelle petite cuisinière : le résultat fut que l'un après l'autre en fit autant et les assiettes se vidèrent en un éclair.

— C'est tout à fait mangeable, déclara le commissaire, et Ingrid comprit que, venant de lui, c'était un grand compliment.

Parfois, elle jetait un coup d'œil sur le pont et soupirait. Elle aurait bien aimé s'allonger dans une chaise longue et se détendre pendant une heure, mais ce n'était pas pour cela qu'on la payait. Aussi, elle repoussa ces souhaits superflus et sortit le canard du frigidaire : demain la pièce de résistance du buffet devait être du canard en gelée truffé et décoré d'olives.

Selon le programme prévu, la *Naïade* s'approchait d'Édimbourg, sa première escale.

— La cabine de luxe va être occupée, annonça le commissaire, quelques heures avant que n'apparaissent

94

les noirs remparts d'Édimbourg. Un câble vient d'arriver :
cinq öre pour celui qui devine qui va monter à bord !

Tous les noms possibles furent cités, depuis la reine
Elisabeth jusqu'au président des États-Unis.

— Faux ! s'exclama l'officier. Sortez vos cahiers
d'autographes, bonnes gens, et mettez-vous en rang.
Notre jeune mademoiselle va pouvoir préparer une cure
amaigrissante : Carola Chester nous honore de sa présence.

— Comment ? s'écria Ingrid (Elle avait vu récemment
un film où jouait Carola Chester.)

— Eh oui ! Carola Chester en personne ! Sans doute
est-elle excédée par la publicité. Ce qu'elle espère
vraiment de sa traversée, je l'ignore, mais quelle attrac-
tion pour nous ! Attendez que les passagers l'apprennent,
vous verrez l'effervescence qui régnera sur la *Naïade*.

Ingrid dut s'avouer qu'elle réagissait comme une
enfant ! Son cœur battait à la seule pensée de côtoyer
bientôt cette célébrité !

*
* *

Enfin la *Naïade* jeta l'ancre devant Édimbourg. Des
vedettes transportèrent les passagers à terre. Ceux-ci
devaient sentir les ailes de l'Histoire devant le lit de
Marie Stuart au château d'Édimbourg et être pétrifiés
de respect devant les salons d'apparat du palais d'Holy-
rood. Plus tard, ils prendraient d'assaut les petites et
grandes auberges de Princess Street. Ingrid eut une

95

journée tranquille, car il n'y eut presque personne
pour le lunch.

L'après-midi, elle put descendre à terre avec le jeune
commissaire adjoint. Le soir, à leur retour, le radio lui
tendit un télégramme. Les questions se pressaient en
Ingrid. Qui donc pouvait bien lui télégraphier? Était-ce
un malheur? A cette pensée, ses genoux se dérobèrent;
elle songeait à Gudbrandsdal... Pendant une course de
montagne, des pierres se détachaient, tant de choses
risquaient de se produire...

Elle ouvrit le télégramme : *Lettre suit poste restante
Reykjavik. Stop. Affections. Guillaume.*

Ingrid relut le télégramme et hocha la tête. Qu'est-ce
qui prenait à Guillaume? Elle haussa les épaules et mit
le télégramme dans sa poche.

Elle n'avait pas vu Carola Chester monter à bord, mais
elle entendait des bribes de conversation et comprit que
le grand événement s'était produit.

Le lendemain matin, une heure après le petit déjeuner,
la femme de chambre qui s'occupait de la cabine de luxe
accourut, hors d'haleine.

— Mademoiselle Mehling, pourriez-vous venir un
instant?

— Que se passe-t-il?

— Carola Chester vient de sonner. Elle veut son petit
déjeuner, mais elle a donné tant d'indications bizarres
que je lui ai demandé la permission d'aller vous chercher.
J'ai beau comprendre l'anglais, je ne connais rien à ces

régimes amaigrissants et je crois que c'est de cela dont elles parlaient, elle et sa camériste. Savez-vous bien l'anglais ?

— Oui, cela ira.

Le cœur battant, Ingrid retira son bonnet, lissa ses cheveux et se dirigea vers la cabine de luxe.

Une aimable créature en blouse rose lui ouvrit la porte.

— Ah ! vous êtes sans doute la préposée au buffet froid ?

Elle parlait anglais avec l'accent français. Ingrid devina que c'était la femme de chambre.

— Mlle Chester voudrait vous parler elle-même.

Elle traversa le salon à petits pas et frappa à la porte de la chambre, où Ingrid fut introduite quelques instants plus tard.

Dans un énorme lit de cuivre était installée une créature nimbée d'un nuage de dentelles et d'étoffes arachnéennes.

— Je voudrais mon petit déjeuner, déclara Carola sans préambule. Je dois rester quinze jours à bord de ce bateau et, comme je désire le même petit déjeuner tous les matins, il vaut mieux que je vous donne des instructions précises.

— Oui, miss Chester.

— Donc, je veux : du jus de fruits, des crudités, pas de graisse. Au diable mon contrat : je pèse deux kilos de trop et, si je ne réussis pas à les perdre, il ne sera pas renouvelé l'an prochain. Je dois maigrir ! Mais je n'ai pas l'intention de mourir de faim.

— Je comprends, miss Chester. Combien de calories souhaitez-vous pour votre petit déjeuner ?

— Comment? vous vous y connaissez en calories?

— Oui, mademoiselle, j'ai étudié la diététique.

— Que Dieu vous bénisse! C'est presque trop beau pour être vrai. Douze cents calories par jour et c'est tout. Disons quatre cents au petit déjeuner, trois cents à midi et cinq cents au dîner?

— Cette répartition me semble excellente. Je vais vous préparer tout de suite votre petit déjeuner.

— Montez-le-moi vous-même, je voudrais encore parler avec vous, lui cria Carola Chester.

— Volontiers, miss Chester, avec plaisir, répondit Ingrid, qui s'éclipsa en souriant.

Heureusement que le commissaire l'avait avertie : elle s'était préparée à cette éventualité. Elle n'eut qu'à retirer les mets nécessaires du frigo, à les peser et les disposer sur le plateau.

Elle fit de rapides calculs : la salade de crudités avec quelques olives représentait soixante-dix calories, deux minces tranches de pain, cent calories, un œuf au plat, un verre de jus de tomate... Elle nota les chiffres sur un bout de papier et, quand elle eut atteint quatre cents, elle prit le tout pour le porter dans la cabine.

Entre-temps, Carola s'était levée, avait enfilé un peignoir, et Odette, la femme de chambre, lui faisait les ongles quand Ingrid parut avec le petit déjeuner.

— Puis-je tout manger, ou est-ce un assortiment?

Carola dévorait le plateau des yeux.

— Vous pouvez tout manger sans inquiétude, miss Chester.

— *Je voudrais mon petit déjeuner, déclara Carola.*

— Oui, mais pensez à ces maudites quatre cents calories !

— Voici le calcul !

Et Ingrid lui présenta le relevé.

— Comment ? de la confiture ? Vous êtes folle !

— C'est de la confiture sans sucre, pour diabétiques, miss Chester.

Carola se jeta sur le petit déjeuner, qu'elle dévora jusqu'à la dernière miette.

— Mademoiselle Mehling, demanda-t-elle en braquant sur Ingrid ces yeux qui troublaient les hommes des cinq continents, depuis combien de temps êtes-vous à bord ?

— Depuis trois jours.

— Et combien de temps devez-vous y rester ? Êtes-vous liée pour des mois ou des années ?

— Pour trois semaines.

— Après ces trois semaines, décréta Carola Chester d'un ton décidé, vous viendrez chez moi comme cuisinière. Odette, montrez-lui les photos de ma maison. Vous aurez votre appartement privé, une auto à votre disposition, une domestique à votre service et le salaire que vous exigerez. Quand pouvez-vous commencer ?

— Miss Chester, vous ne pensez pas que..., bégaya Ingrid.

— Avez-vous les photographies, Odette ?

Elle en fourra un tas dans la main d'Ingrid : celle-ci les regarda sans pouvoir réfléchir. Un superbe bungalow avec les plus beaux arbres de la terre et des buissons fleuris, un jardin avec une piscine et des chaises longues. Sur quelques clichés, on voyait Carola en auto, avec un lévrier russe ou avec deux chats angoras.

De son doigt laqué de rouge, Carola désigna une photo :

— Voici la fenêtre de votre appartement, au premier étage. Deux grandes chambres, salle de bains, petite cuisine. Du balcon vous aurez une vue magnifique. J'y serai de retour dans un mois. Alors, vous venez? Naturellement, votre voyage sera payé.

Ingrid reprit son souffle : son bras devait être vert et bleu tant elle s'était pincée pour s'assurer qu'elle ne dormait pas.

— Miss Chester, vous ne savez rien de moi ; après un seul petit déjeuner, vous ne pouvez pas juger...

— Mais si, mais si. Ne discutons plus de ce projet jusqu'à ce que j'aie encore pris quelques petits déjeuners. D'ici à ce que nous ayons atteint l'Islande, nous serons sûrement d'accord. A quoi m'autorisez-vous pour le lunch?

— Pensez-vous descendre à la salle à manger, miss Chester?

— Je pense que oui : il faut se montrer un peu. Odette, ramassez tous les carnets d'autographes dès le début : je n'ai pas envie d'écrire pendant tout le repas... J'apprécie la bonne cuisine, voyez-vous.

— Je préparerai une petite table avec des plats à basses

calories, miss Chester. Peut-être que d'autres personnes s'y intéresseront aussi?

— Peut-être, dites-vous? Toutes les femmes, miss Mehling. Tâchez seulement que votre table ne soit pas trop petite... Odette, ma robe de lin jaune, non, mon tailleur blanc et les perles, un seul rang.

Ingrid se leva. L'audience était terminée.

CHAPITRE X

Tous les moyens techniques dont disposait la cuisine étaient utilisés pour les buffets froids de la *Naïade :* on taillait, mixait, battait, on hachait, pressait, tranchait. Pendant des heures, Ingrid travailla à d'innombrables petits plats qui s'amoncelaient dans la chambre froide et attendaient sur les grandes tables le moment d'être présentés anx passagers.

— Ingrid, tu es une perle ! déclara Tom sans détour. Tu nous fais une publicité qui vaut de l'or.

— Ravie que tu sois content de moi, Tom.

— Content ? Enthousiasmé. Si je n'avais pas déjà une femme charmante, je te demanderais tout de suite ta main.

— Merci, tu es bien aimable !

— Où as-tu donc appris tout cela, Ingrid ?

Tom chipa une olive farcie sur un plat déjà décoré qu'Ingrid s'empressa de mettre hors de sa portée.

— En partie à l'étranger, en partie grâce à mon imagination. Tu sais, tout ce qui concerne la cuisine m'intéresse. Et, en plus, cela m'amuse.

— Oui, tu sembles connaître les vraies joies du créateur, dit Tom en riant. Cette idée de plats qui ne font pas grossir est grandiose.

Ingrid soupira et rit à son tour.

— C'est possible, mais, si j'avais su tout le travail que cela représentait, je ne l'aurais pas si vite exprimée ! Je crains que toutes les dames du bord ne se nourrissent exclusivement de ces menus diététiques.

— Avec ton amie Carola à leur tête.

— Oui, Carola...

Ingrid se tut. Pour la soixante-quinzième fois, elle se remit à réfléchir : cette offre singulière de l'actrice, fallait-il la prendre au sérieux ?

Au cours des nuits, la *Naïade* poursuivait son trajet vers le nord et jetait l'ancre pendant la journée. Tandis que les passagers visitaient la cathédrale de Saint-Magnus, à Kirkwall, et faisaient une excursion en autocar à Scape Flow, Ingrid s'acharnait dans sa cuisine et ses pensées volaient autour de la belle maison d'Hollywood. La *Naïade* laissa les îles Orcades derrière elle et mit le cap sur le Shetland, où les voyageurs achetèrent des lainages à Lerwick. Puis ils partirent en groupes vers le château de Scalloway, tandis qu'Ingrid préparait ses menus à basses calories en songeant à un appartement de deux pièces avec voiture et piscine à Beverly Hills. Carola Chester lui avait-elle vraiment fait une proposition sérieuse? Il eût été faux d'affirmer qu'Ingrid ne se sentait pas flattée. C'était tout de même un événement d'aller en Amérique et d'arriver dans un milieu qui restait généralement inaccessible. L'idée d'échapper à sa vie, à l'amour de Guillaume et à ses discussions, à la déception provoquée par Olaf, à Sonia et au refuge de Gudbrandsdal était aussi très séduisante.

Mais avait-elle le droit de fuir devant un travail qu'elle venait d'entreprendre et qui représentait une aide réelle pour quarante femmes solitaires et fatiguées? Non, c'était impossible.

— Mademoiselle Mehling, excusez-moi.

— Je vous en prie, mademoiselle Odette.

— Miss Chester m'a demandé de venir chercher le plateau du petit déjeuner.

— Un instant, il va être prêt.

Odette s'assit et regarda les mains agiles d'Ingrid qui arrangeaient adroitement les mets délicats.

— Viendrez-vous avec nous à Hollywood, miss Mehling ?

Ingrid sourit.

— Est-ce que miss Chester parlait sérieusement ?

— Mais bien sûr ! Elle n'a jamais été plus sérieuse de sa vie. Vous ne comprenez peut-être pas ce que cela représente pour elle ? Le grand souci de miss Chester est de grossir trop vite. Et les bonnes diététiciennes ne courent pas les rues. Si elle ne parvient pas cet été à perdre deux kilos, ou mieux, trois, son contrat ne sera pas renouvelé : ce serait une catastrophe. Non, non, c'était très sérieux.

— Pourtant, il doit bien y avoir de bonnes cuisinières en Amérique aussi ?

— Vous ne soupçonnez pas comme le problème des domestiques est aigu là-bas. Miss Chester m'a trouvée à Paris l'année dernière : j'étais vendeuse dans une parfumerie. Ne croyez pas que j'aie jamais songé auparavant à devenir femme de chambre, mais quand on gagne trois fois plus qu'en vendant des parfums... Et miss Chester est très gentille. Bien sûr, elle a parfois ses crises de nerfs, mais cela passe. Et, comme je vous l'ai dit..., le salaire ! (Odette sourit.) Maintenant, j'aurai bientôt amassé une petite dot.

Ce fut le tour d'Ingrid de sourire. Odette était bien française. Elle pensait sûrement qu'Ingrid ne travaillait qu'en vue d'économiser pour son mariage.

— Voici, mademoiselle Odette !

UN MARI POUR INGRID

Odette prit le plateau:

— Comme tout cela semble délicieux! Savez-vous ce que dit miss Chester? Que c'est la première fois qu'elle suit un régime amaigrissant sans avoir toujours faim. Elle serait vraiment heureuse si vous veniez. De plus, miss Mehling — et Odette baissa la voix pour cette confidence à une future collègue — vous n'imaginez pas quelles robes elle vous donnera, des robes qu'elle ne met qu'une ou deux fois. Depuis que je suis à Hollywood, je n'en ai pas acheté une seule. Ce sont des choses qu'il faut considérer.

Oui, il y avait matière à réflexion: Ingrid ne cessa d'y penser, toute la nuit, allongée dans sa cabine, tandis que la *Naïade* fendait les vagues.

Demain ils atteindraient Toshavin et après-demain Reykjavik, en Islande. Ingrid descendrait à terre, car une lettre par avion l'y attendait, poste restante.

Qu'est-ce que Guillaume avait donc sur le cœur?

Bien sûr, Ingrid était intriguée, mais, à sa grande surprise, elle constata qu'il ne s'agissait que de curiosité. Son cœur ne battait pas plus vite en songeant à cette lettre.

Pourtant, chose étrange, c'était tout de même bien difficile d'effacer cinq ans de sa vie et sans aucun doute c'était Guillaume qui avait rempli ces cinq années, on ne pouvait rien y changer.

Comment expliquer alors que les pensées d'Ingrid s'envolent toujours vers un autre? Et son cœur battait la chamade. Ah! tout était stupide et illogique! « Je devrais avoir honte, se disait Ingrid, de m'occuper d'un jeune homme qui s'est amusé de moi et qui est parti à la montagne avec une autre. Non, le mieux, c'est de tourner le dos à tout cela, de traverser l'Atlantique pour y trouver une situation avec des gages fabuleux, une piscine, une auto et un bel appartement. » Elle allait accepter la proposition de Carola.

Essayant d'oublier Gudbrandsdal, Ingrid se concentra énergiquement sur Beverly Hills.

Ingrid était dans la rue ; elle sortait de la poste de Reykjavik : elle avait deux heures devant elle, avant de regagner le bateau.

Elle trouva une pâtisserie et ouvrit la lettre dans un coin tranquille.

Elle lut, oubliant l'endroit où elle se trouvait et sa tasse de thé qui refroidissait. La lettre était longue et, après l'avoir lue deux fois, elle la reposa sur la table. L'essentiel était clair, malgré les explications, les parenthèses, les circonlocutions : Guillaume lui demandait de l'épouser.

Ingrid avait un regard fixe : mon Dieu, comme la vie était compliquée !

On aurait dit que les choses les plus attirantes s'offraient à elle l'une après l'autre : d'abord une situation brillante, puis la demande en mariage d'un homme auquel elle avait tenu pendant cinq ans.

Et s'il n'y avait eu à choisir qu'entre deux solutions ! N'en existait-il pas une troisième ? Celle-là, le destin s'en

Elle lut, oubliant l'endroit où elle se trouvait...

était chargé, le destin et Sonia. Non, elle n'avait qu'une alternative : Hollywood ou Guillaume.

Mais que décider?

Elle reprit la lettre et la parcourut :

Je n'avais vraiment pas songé plus tôt.. Je m'étais habitué à toi... et puis tu m'as manqué plus que je ne puis te le dire... C'est seulement ton refus de partir pour Copenhague qui m'a ouvert les yeux...

Ingrid laissa retomber la lettre.

Elle se sentit triste et désemparée. Bien sûr, Guillaume était épris d'elle, mais pas d'un amour qui exigeait le mariage, un foyer confortable, la vie quotidienne avec des enfants.

S'il le demandait, c'est parce qu'il avait compris qu'il n'y avait pas d'autre façon de la posséder!

Ingrid en fut humiliée. Oui, Guillaume l'aimait. Seulement, cet amour n'était pas une base solide pour édifier toute une existence.

Elle jeta un coup d'œil à sa montre et sursauta. Dans cinq minutes elle devait retourner sur la *Naïade* avec la vedette. Plus question de visiter Reykjavik. Voilà ce que c'était que d'être une employée! La vie de passager devait être bien agréable... Mais ce n'était pas le moment d'y songer.

Elle mit la lettre dans sa poche et concentra ses pensées sur les préparatifs.

Une fois dans la cabine, elle suspendit son tailleur dans l'armoire et prit une robe bleue lavable, une blouse blanche et son petit bonnet. Elle soupira : comme la vie était compliquée ! Et le seul qui aurait pu tout rendre simple s'amusait à Gudbrandsdal !

On n'y pouvait rien changer. Quelque chose monta dans sa poitrine, un sanglot lui échappa et, brusquement, elle s'appuya au bord de la couchette, le front sur la manche de sa blouse, et pleura à s'en briser le cœur.

C'était si dur de se jouer la comédie à elle-même, et comme cela faisait du bien de pleurer, de se détendre ! Quel soulagement de se laisser aller à sa peine, à sa déception d'avoir perdu Olaf et de sentir couler sur ses joues des larmes amères.

Elle releva la tête, alla vers le lavabo et se bassina les yeux. Puis elle mit son petit bonnet. Dans le miroir, elle aperçut le hublot et, en arrière, un bateau qui était à quelques mètres de la *Naïade*. Un homme traversait le pont, vêtu d'un pull-over bleu clair. Le cœur d'Ingrid battit à se rompre, puis elle se détourna.

Ah ! puis elle était dans un bel état ! Si maintenant elle prenait pour Olaf un homme en bleu de travail sur un bateau islandais...

Elle devait partir tout de suite, d'une façon ou d'une autre.

Sur la table se trouvait une boîte d'allumettes. Ingrid la prit, se mordit les lèvres et réfléchit.

« Le dessus sera Hollywood, le dessous Guillaume. Si

elle reste du côté du grattoir, je retourne à ma petite cuisine chez papa Monsen. »

Puis Ingrid lança la boîte au plafond. Celle-ci retomba sur le sol entre la table et la couchette. Ingrid se baissa pour chercher : la boîte d'allumettes était debout, sur le petit côté.

« Bien ! se dit Ingrid, c'est mieux ainsi. A moi de prendre mes décisions. »

Puis, renonçant aux oracles, elle se remit au travail.

CHAPITRE XI

QUEL capharnaüm ! s'écria Tom en levant les bras au ciel.

On ne savait où se tourner tant il y avait de plats et d'assiettes sales. Le lunch venait de s'achever et les raviers vides s'amoncelaient.

— Ce n'est pas grave, le rassura Ingrid, je suis aidée pour la plonge.

117

— Je croyais que nous avions des lave-vaisselle? s'étonna Tom d'un air naïf.

— Mais qui les chargera? s'esclaffa Ingrid. Quel bon vent t'amène ici? Ce ne peut être la faim, avec tous les bons sandwiches que j'ai envoyés au carré des officiers.

— Toi, tu nous as manqué.

— Je n'avais pas faim, Tom, et d'ailleurs j'étais trop pressée. Allons, qu'as-tu sur le cœur?

— Une bonne nouvelle à t'annoncer, d'abord : je serai père dans six mois; je viens de l'apprendre par une lettre. Ensuite, et surtout, une question de conscience. Peux-tu envisager de garder ta place pour une traversée plus lointaine?

— Plus lointaine, oui, si vous ne mettez pas le cap sur l'Australie ou si vous n'entreprenez pas une expédition au pôle Nord...

— Non, ce ne sera pas si grave, nous allons seulement en Amérique.

— Tu en parles comme s'il s'agissait d'un petit tour de Copenhague à Hambourg.

— J'avoue que cela ne m'impressionne pas plus. Tu sais, quand on a traversé l'Atlantique cinquante fois... Sérieusement, Ingrid, notre ami Hagensen est toujours à l'hôpital avec une péritonite. Il en a encore pour six semaines. Veux-tu venir avec nous? Nous resterons quelques jours là-bas, tu auras ainsi l'occasion de faire quelques sauts à terre et de regarder un peu le paysage. L'ensemble du voyage durera un peu plus de trois semaines.

— Bon, d'accord, si vous êtes satisfaits de moi.

— Si ce n'était pas le cas, je ne te demanderais pas de nous accompagner! Alors, entendu?

— Entendu!

— Bien. Tu seras rentrée à temps pour préparer du goulasch pour tes petites dames à partir du 1er septembre.

— C'est parfait.

— As-tu des lettres à poster? Je vais à terre cet après-midi, je peux m'en charger.

— Non, merci, dit Ingrid.

Puis, se ravisant :

— Ah! si, excuse-moi, j'en aurai une.

Elle choisit une des jolies cartes qui représentaient la *Naïade* et écrivit :

Cher papa Monsen, je vous adresse toutes mes amicales pensées depuis Reykjavik. Je prépare des repas pour plus de passagers que je n'en peux compter et me porte à merveille. Je pense beaucoup à vous et à ma cuisine là-bas. Prochainement, je vais en Amérique avec ce bateau et serai rentrée fin août. D'ailleurs, je repasserai par la maison avant notre départ pour les U.S.A. Mon bon souvenir à Olaf s'il est auprès de vous. Mille amitiés de votre petite cantinière. Ingrid.

Papa Monsen lut cette carte avec une lueur amusée dans le regard et un petit sourire entendu flottait sur ses lèvres.

119

UN MARI POUR INGRID

*
* *

Ingrid se réjouit de l'offre de Tom. Elle tenait à entreprendre ce voyage qui représentait un sursis. Elle pourrait ainsi différer sa décision : Guillaume avait tout compliqué avec sa lettre.

Elle refusait de s'avouer qu'autre chose la préoccupait : son cœur avait bondi en apercevant un homme qui ressemblait à Olaf. Avait-elle le droit de se lier à un homme alors qu'un autre ne quittait pas ses pensées ?

Peut-être parviendrait-elle à l'oublier si elle se fiançait avec Guillaume ?

Maintenant, elle aurait du moins le temps de réfléchir. Avant son retour d'Amérique, elle verrait clair en elle-même.

En proie à ces pensées, Ingrid regagna sa cabine et s'octroya une sieste.

Tard dans l'après-midi, elle entendit qu'on levait l'ancre : le treuil enroulait la lourde chaîne et bientôt la *Naïade* sortit du port de Reykjavik.

Ingrid regarda sa montre : c'était l'heure du dîner. A ce moment, elle se rendit compte qu'elle n'avait rien pris à midi.

Heureusement, elle n'avait pas à s'inquiéter du repas. C'était à ses collègues des repas chauds de s'affairer et de transpirer dans l'immense cuisine principale.

Elle enfila une jolie robe, se brossa les cheveux et gagna le carré des officiers.

— Hello! Voici notre jolie demoiselle des lunches, le fournisseur de calories de Carola!

C'était le commissaire qui l'accueillait ainsi. Ingrid se mit à rire :

— Ne prononcez plus le mot de calories! Je commence à appeler Carola miss Calories. Au fait, ajouta-t-elle en prenant des côtelettes d'agneau, comment se fait-il que Carola soit à notre bord?

— Aucune idée! Sans doute par caprice : elle était en vacances en Angleterre quand elle a décidé de faire une croisière en Norvège et l'itinéraire de la *Naïade* lui convenait exactement.

— Une croisière en Norvège par les îles Féroé et l'Islande, voilà ce que j'appelle le trajet le plus court! plaisanta Ingrid en se servant de sauce.

— Sauce à bâbord, demanda le jeune commissaire adjoint, et, juste comme Ingrid lui passait la saucière, la porte s'ouvrit.

— Enfin! s'exclama le second. Je croyais que tu ne parviendrais pas à t'arracher à la machine!

Celui qu'on interpellait ainsi était le chef mécanicien, que suivait un grand jeune homme.

— J'ai amené un convive, expliqua-t-il, et c'est...

Ingrid n'entendit pas la suite. Elle resta bouche bée, sans remarquer que la saucière tremblait entre ses mains et que son contenu brun et gras se déversait directement dans le compotier.

Après les présentations, on fit place à table aux nouveaux arrivants. Ingrid n'entendait qu'un bourdonnement sans comprendre les détails de la conversation. Elle contemplait le jeune homme et, d'un seul coup, elle comprit que, tant qu'il serait en Europe, elle ne pouvait pas penser à se fixer à Hollywood, même si on lui offrait un palais et un million de dollars par an.

— Hé ! miss Ingrid, passez-nous la saucière avant qu'elle se soit entièrement renversée dans la compote !

Une main saisit la saucière et les yeux d'Ingrid rencontrèrent ceux d'Olaf.

— Mais comment..., murmura Olaf.

— Oui..., balbutia Ingrid, incapable d'en dire plus.

Pendant un instant, ils semblèrent paralysés. Puis Olaf se ressaisit et sourit :

— Par exemple, quelle surprise !

A travers la table, il tendit la main à la jeune fille.

— Que fais-tu là, Ingrid, si je peux te poser cette question ?

— Un intérim comme chef de la cuisine froide. Et toi ?

Olaf s'assit et se servit des plats qu'on lui présentait.

— On m'a envoyé en avion en Islande pour diriger l'installation frigorifique d'un cargo. Comme la *Naiade* devait toucher le port à ce moment-là, j'ai trouvé agréable de faire à son bord le voyage de retour.

— Tu es donc passager ?

— Oui ; mon oncle est chef mécanicien et il a dit que ce serait plus sympathique de partager votre repas.

Les autres prirent part à la conversation et Ingrid fut

Ingrid n'entendit pas la suite.

heureuse de pouvoir se taire. Dans son esprit se mêlaient confusément Carola, Hollywood, Guillaume, Sonia, Gudbrandsdal, la cure amaigrissante, le buffet froid, le voyage en Amérique...

Et dans ce tourbillon une seule idée claire, un seul point fixe : Olaf.

Olaf qui n'était qu'à un mètre d'elle. Olaf qui avait toujours occupé son subconscient. Olaf qui était responsable de ce bouleversement, de ses nuits blanches et de ses larmes. Olaf avec sa belle voix et cette flamme joyeuse dans les yeux. Olaf qui avait accompagné Sonia à Gudbrandsdal.

Ingrid ignorait que son visage avait pâli brusquement et s'était amenuisé.

Elle se hâta d'achever son repas.

— Excusez-moi, j'ai beaucoup de travail.

Tom protesta :

— Mais non, Ingrid, tu as encore dix-huit heures avant le lunch.

— Je n'ai pas rangé les provisions que nous avons embarquées à Reykjavik.

— Tu es vraiment consciencieuse, reconnut Tom d'un air résigné. Okay, va dans ton frigo. Vous savez, poursuivit-il en s'adressant à Olaf, notre demoiselle Ingrid souffre d'un amour malheureux pour les frigidaires. Pouvez-vous imaginer cela ?

Le mess, qui contenait beaucoup de tables, était très étroit et, en passant devant Olaf, Ingrid sentit son souffle sur ses joues.

— Si, dit Olaf doucement, je crois que je comprends.

Ingrid n'alla pas à la cuisine, mais dans sa cabine ; elle pensait aux yeux d'Olaf qui brillaient plus que jamais, à sa peau qui avait un léger hâle, sans doute à cause des longs jours ensoleillés dans le refuge. En sanglotant, elle mordit son mouchoir. Elle se retourna et parvint tout juste à verrouiller sa porte ; puis les larmes l'aveuglèrent.

CHAPITRE XII

LES tempes d'Ingrid battaient douloureusement. Elle
avait pleuré jusqu'à ce qu'elle n'ait plus de larmes.
Elle se bassina les yeux, se lava le visage et se poudra.
Quand elle entra enfin à la cuisine, les autres étaient déjà
partis : elle fut heureuse d'être seule.

Elle n'eut terminé que très tard dans la soirée. Sa
tête bourdonnait comme si elle allait éclater.

Elle appuya son front contre le verre froid du hublot.

Ingrid n'avait pas le droit d'aller sur le pont-promenade, qui était réservé aux passagers et aux officiers. Mais, maintenant, il était désert. Elle souhaitait tant faire une petite marche afin de se dégourdir les jambes et aspirer la fraîcheur de l'air marin à pleins poumons... Après tout, on ne la jetterait pas en prison, ni par-dessus bord ; Mlle Calories s'y opposerait !

Un pâle sourire se dessina sur les lèvres d'Ingrid. Elle retira son tablier et son bonnet, enfila son manteau et monta l'escalier. La nuit était encore plus belle qu'elle ne s'y attendait. La chaleur de ce jour brûlant de juin flottait encore dans l'air, mais la fraîcheur de l'Atlantique rendait l'atmosphère agréable. Et quelle merveilleuse fraîcheur !

S'enveloppant dans son manteau, Ingrid traversa le pont de bâbord à tribord, plusieurs fois de suite.

La salle de bal étincelait de mille feux. Ingrid y jeta un coup d'œil et soupira. Des verres tintaient. Elle entendait rire et bavarder. La piste de danse débordait littéralement de passagers en élégantes tenues de soirée.

En de tels instants, il n'est pas facile d'être une petite cuisinière sur un bateau de luxe, à l'écart de toutes les distractions.

Ingrid revint sur ses pas. Avec un soupir, elle se dirigea vers l'échelle du pont supérieur.

Les filets de tennis y brillaient d'un éclat blanc sur le terrain abandonné. Ici, la musique ne lui parvenait plus. Elle se sentait effroyablement seule : il n'y avait que des filets de tennis, des canots de sauvetage bâchés, une énorme cheminée et, tout autour, la mer. Elle s'appuyait contre une des chaloupes. Ses pensées recommencèrent à tourbillonner.

Pourquoi Olaf était-il ici? Il était en vacances! Pourquoi ne se trouvait-il plus à Gudbrandsdal? Où était Sonia? Comment se faisait-il que sa firme l'ait envoyé en Islande en plein milieu de son congé? Lui avait-elle télégraphié à Gudbrandsdal?

L'interroger? Non, jamais. Plutôt se mordre la langue. Allait-elle s'abaisser à demander des nouvelles d'une rivale? Sûrement pas! Elle avait tout de même son amour-propre!

Ingrid pensait au ravissant visage de Sonia. Elle se sentait laide, insignifiante et encore plus isolée.

Soudain, elle entendit des pas derrière elle.

— C'est toi, Ingrid?

— Oui.

Elle murmura cette réponse.

Elle resta debout près de lui. Ils se taisaient. C'était un silence tendre, lourd de questions informulées et de mots sous-entendus.

— Ingrid, comment...?

Il s'interrompit.

Il l'avait vue de ses propres yeux dans les bras d'un autre... Il avait vu aussi la décapotable qui stationnait à toute heure devant la maison. Il n'y avait rien à demander. D'ailleurs..., poser des questions sur son rival? Non, pensa Olaf rageusement.

Le silence s'appesantit davantage entre eux.

Ce fut Ingrid qui le brisa :

— Ne me trahis pas, Olaf, s'il te plaît. Je n'ai pas le droit de me promener sur les ponts, car je fais partie de l'équipage.

— Je croyais que tu avais rang d'officier ?

Ingrid sourit faiblement.

— Ah ! je suis un hybride ! Ils ne savaient pas trop dans quelle catégorie me classer !

— Bon. Eh bien, je ne rapporterai pas.

Le silence s'installa de nouveau entre eux.

« Sonia », pensait Ingrid.

« Guillaume », pensait Olaf.

Et tous deux serraient les dents ; mais ils restaient là, debout, et chacun sentait la présence de l'autre.

— Quel calme ! murmura Ingrid.

— Oui.

Leurs yeux se rencontrèrent, et soudain elle fut dans ses bras.

Il couvrit son visage de baisers. Il ne dit rien et la serra contre lui ; elle se laissait aller entre ses bras.

— Ingrid, Ingrid.

Sa bouche retrouva la sienne. Au même instant, il se souvint qu'un autre l'avait enlacée de la même manière.

Mais il devait s'être trompé. C'était impossible qu'Ingrid en aime un autre : en cette seconde, il aurait pu en jurer. Ingrid ferma les yeux. Elle était dans les bras d'Olaf et tout était bien..., tout s'arrangerait...

— Olaf !

C'était un chuchotement à peine audible.

— Cher petit démon...

Ses baisers se firent durs et exigeants. Mais soudain il la lâcha.

— Oh! excusez-moi, miss Mehling. Je vous ai cherchée partout; miss Chester vous demande.

A la fois irritée et soulagée, Ingrid se tourna vers Odette qui s'était approchée sournoisement comme un chat sur ses pattes de velours.

— Comment? Si tard? Je suis libre à cette heure-ci, mademoiselle Odette.

— Oh! je suis inconsolable, *I am sorry*. Je ne savais pas qu'il était déjà si tard. Mais miss Chester pourra aussi bien vous parler demain matin, n'est-ce pas, mademoiselle Mehling?

Avec une habileté consommée, Odette parvint à traîner jusqu'à ce qu'Ingrid fût obligée de la présenter à Olaf. Et Odette déploya tout son charme français, entra en conversation avec Olaf, le fit sourire. Ingrid s'éclipsa discrètement derrière la cheminée et descendit l'échelle à bâbord.

Un peu plus tard, en brossant les cheveux de Carola, Odette lui fit un rapport circonstancié.

— Et ils étaient étroitement enlacés, miss Chester. Il est charmant. C'est un ingénieur qui connaît miss Mehling depuis longtemps; il a une bonne situation dans une firme norvégienne.

— Odette, vous ne pouvez tout de même pas...

Carola Chester avait pris l'habitude d'écouter Odette et de tenir compte de ses avis, car Odette était très éveillée et avait un instinct très sûr. A cela s'ajoutaient son intuition et son sens très français des choses de l'amour. En général, les théories d'Odette étaient exactes.

— Miss Chester, j'ai l'impression qu'un sentiment se noue entre eux. Ce serait effroyable que cet homme vous souffle miss Mehling au moment où cette affaire est presque réglée.

— Assez, Odette! Naturellement, cette affaire est réglée. Nous mettrons fin à ces enfantillages. Donnez-moi ma crème de nuit, ou, non, mettez-moi plutôt un masque aux fraises, pour que je sois en beauté demain.

Et, tandis que la pâte au parfum de fraises séchait sur le visage de Carola, elle dressait son plan de bataille pour le lendemain.

Le lunch battait son plein et Ingrid surveillait le buffet à travers le passe-plat. Il arrivait qu'un ravier fût vide et qu'il fallût aussitôt le remplacer.

Les dames prenaient d'assaut la « table des basses calories »; à la tête, Carola ne tarissait pas d'éloges. Elle s'était pesée et le résultat permettait d'espérer le renouvellement de son contrat.

— Et je n'ai même pas faim, assura-t-elle. Pourtant, je prends beaucoup d'exercice. J'ai une passion pour le tennis de pont : est-ce que vous jouerez avec moi, tout à l'heure, monsieur Varland?

— Avec grand plaisir, miss Chester.

Munis de leurs assiettes de petits sandwiches, ils

s'installèrent. Naturellement, Carola Chester s'était arrangée pour qu'ils soient assis à la même table.

Carola n'avait jamais été aussi en beauté : son visage était jeune et frais et sa robe élégante semblait moulée sur

sa silhouette. Vraiment, elle n'avait pas un gramme de trop.

Ingrid ne pouvait surprendre leur conversation. Mais elle entendait rire Carola et voyait le sourire d'Olaf. Elle ne pouvait rien reprocher à l'actrice : personne mieux qu'Ingrid ne pouvait comprendre qu'une femme s'enthousiasme pour Olaf.

UN MARI POUR INGRID

Eh bien, elle n'y penserait plus : c'était un coureur. D'abord un flirt avec elle, puis un tour au refuge avec Sonia, et maintenant il succombait aux charmes de cette star.

Non ! Olaf ne lui apportait que de mauvaises surprises. Guillaume était différent : elle le connaissait jusqu'au fond de son cœur.

Ingrid s'efforça d'évoquer tous les souvenirs agréables qu'elle avait de lui : excursions, boums, soirées passées à bavarder ou à écouter de la musique.

Mais lui répondre oui avec des lèvres encore brûlantes des baisers d'Olaf, elle ne le pouvait pas. Elle allait écrire à Guillaume, le remercier de sa lettre, lui dire qu'elle lui donnerait sa réponse plus tard, à son retour d'Amérique. D'ici là, elle aurait sans doute réussi à oublier Olaf.

Dans la salle à manger, ils avaient achevé leur repas. Olaf et Carola sortirent ensemble. Dans la bousculade qui se produisit à la porte, il mit son bras autour d'elle comme pour la protéger ! Soudain, Ingrid éprouva le désir irrésistible d'embrocher Carola !

Tandis que les anneaux du tennis de pont volaient entre Olaf et Carola, Ingrid était dans sa cabine devant une feuille blanche. Elle se prit la tête entre les mains. Ce n'était vraiment pas facile.

Mon cher Guillaume...

Puis une pause : elle réfléchit longuement.

134

UN MARI POUR INGRID

*Merci pour ton télégramme et ta lettre que j'ai trouvée
à Reykjavik.*

Encore un arrêt. Ingrid soupira et repoussa le feuillet.
Au fond, elle avait bien le temps. Ils ne toucheraient
Geiranger, le prochain port, que le surlendemain. Il
était impossible de poster sa lettre plus tôt.

Elle alla sur le pont avant, où elle avait le droit de se
reposer. En gagnant la proue du bateau, elle pouvait voir
le pont supérieur. Deux belles silhouettes, jeunes,
élancées, couraient et se lançaient des anneaux : Carola et
Olaf.

Ingrid fit demi-tour et regarda fixement devant elle.
Quelque part, là-bas, à l'horizon, se trouvait la Norvège et
aussi sa maison, son travail. La vie de tous les jours et
Guillaume l'y attendaient.

Le vent était très vif à l'avant, l'air marin lui coupait
la peau et Ingrid dut souvent s'essuyer les yeux.

Là-haut, sur le pont réservé aux sports, Carola se
laissa choir dans une chaise longue.

— Ouf ! vous m'avez battue à plate couture, monsieur
Varland. Ah ! comme j'ai soif ! Croyez-vous pouvoir me
trouver un verre de jus d'orange ?

— Sans sucre, probablement ?

— Bien sûr, je suis mon régime avec courage.

— Ce sera difficile pour vous de continuer quand vous
serez aux États-Unis. La nourriture y est trop riche.

— Ah! soyez sans crainte. N'avez-vous pas entendu parler de ma chance? J'ai engagé la meilleure diététicienne du monde, la petite jeune fille du buffet froid.

— La cuisinière du bord?

— Oui, vous vous rendez compte? La petite miss Mehling. Je ne sais pas si vous... Elle est bien gentille, quoique ce ne soit pas une beauté. Je pense qu'elle se réjouit de venir chez nous : elle n'a pas de grandes chances de réussite dans son pays.

— Je vais vous chercher votre jus de fruits, miss Chester.

Il fallait qu'il s'éloigne de Carola!

Donc, Ingrid voulait partir pour Hollywood! Et elle n'en avait pas soufflé mot! C'était impossible! Comment, elle allait laisser tomber si légèrement son travail en Norvège? Après tout ce que son père avait fait et organisé pour elle! Pourquoi souhaitait-elle aller en Amérique? Pour devenir cuisinière chez cette toquée de Carola et lui permettre de rester dans la catégorie des poids plume?

Olaf alla chercher l'orangeade et, si le barman avait proposé d'y ajouter un jet d'acide prussique, il n'aurait pas refusé...

Tandis que Carola sirotait sa boisson, Olaf inventa un prétexte pour disparaître. Avec une ride profonde entre les sourcils, il descendit l'escalier et marcha le long de la coursive. Où donc la cabine d'Ingrid pouvait-elle se trouver?

Olaf interrogea le commissaire : il devait transmettre un message à Mlle Mehling, peut-être savait-il...

UN MARI POUR INGRID

— A cette heure-ci, elle est vraisemblablement dans sa cabine, assura celui-ci.

Il lui expliqua le chemin et Olaf descendit un autre escalier d'un pas ferme.

Il frappa. Pas de réponse. Il appuya avec précaution sur la poignée : la porte était ouverte. Pas d'Ingrid, mais une feuille de papier blanc s'étalait sur la table. Avant d'avoir clairement réfléchi à son action, Olaf avait lu les quelques mots. « C'était inévitable », se dit-il à lui-même, pour s'excuser.

Mon cher Guillaume, merci pour ton télégramme et ta lettre que j'ai trouvée à Reykjavik.

Voyez-vous ça ! Elle était allée chercher une lettre à Reykjavik ! Et il lui adressait même des télégrammes... Évidemment, c'était son droit le plus strict et elle pouvait aussi se promener en auto avec qui elle voulait. C'était indiscutable. Mais qu'elle le laisse l'embrasser de cette façon entre-temps, c'était tout de même un peu fort ! Il aurait pourtant juré qu'elle le prenait au sérieux, au printemps, dans sa cuisine de la résidence ! Elle s'était montrée si tendre, si brûlante, si jeune et abandonnée entre ses bras !... Dire qu'elle n'avait peut-être pas cessé de penser à Guillaume avec sa voiture sport, son télégramme et sa lettre à Reykjavik !

Il entendit des pas légers dans le couloir et Ingrid parut sur le seuil, les cheveux ébouriffés par le vent après sa promenade sur le pont.

— Tiens, tu es là?...

Une rougeur subite lui monta au visage.

— Je voulais... J'ai entendu dire que tu habitais ici... et j'ai pensé que je pourrais te rendre visite.

— Ah! bon, assieds-toi, je t'en prie.

Ingrid ôta son manteau et lissa ses cheveux devant la glace.

Il se tenait derrière elle et leurs yeux se rencontrèrent dans le miroir. Brusquement, il la saisit par les épaules et l'obligea à se retourner. Il n'y avait plus trace de joie dans ses yeux, devenus sombres et durs.

— Pourquoi ne pas m'avoir raconté que tu allais en Amérique?

Cette attitude fâcha Ingrid. Ses bras lui faisaient mal et sa voix impérieuse la poussa à le braver. Ce garçon qui la tourmentait depuis des semaines, ce coureur, ce charmeur professionnel, fallait-il qu'elle lui rende des comptes? Est-ce que cela le concernait, si elle partait sur la *Naïade* pour une croisière de trois semaines aux États-Unis?

— Pourquoi aurais-je dû te le dire? Cela ne te regarde pas.

— Non, non, naturellement. Seulement, ce qui me regarde, c'est que tu te laisses embrasser, que tu t'abandonnes dans mes bras pour essayer de me rendre fou. Agis comme tu voudras, pars en Amérique, tu y trouveras bien un autre garçon qui perdra la tête pour toi. A moins que ton Guillaume ne t'accompagne? Disons-nous donc adieu et je vais le faire sérieusement.

de truites. Oh! oui! Ingrid serait si occupée qu'il ne lui
resterait plus de temps pour ses soucis personnels.

Au-delà de son immense fatigue, un sentiment désa-
gréable commençait à se faire jour : elle avait été effroyablement violente envers Olaf. Non qu'il n'eût mérité
cette gifle, mais ce n'aurait pas été indispensable de le
traiter de brute. Enfin, Olaf aurait aussi pu se dispenser
de prononcer certains mots...

Pourtant, Ingrid avait honte.

Elle hésitait à dîner au carré des officiers : Olaf pouvait
avoir le caprice d'y aller aussi. On ne savait jamais où
il prendrait ses repas. Comme Ingrid voulait absorber
quelque chose de chaud, elle tarda autant que possible
dans l'espoir que presque tout le monde serait parti.
Son visage était tout pâle quand elle se décida à monter.

Olaf arpentait fiévreusement le pont. Les passagers se
changeaient pour le dîner. Il passa devant les fenêtres
carrées des cabines de luxe. Derrière les rideaux de soie
vert amande luisaient des lampes électriques. Carola
s'appliquait à se rendre irrésistible.

A la pensée qu'elle jetterait encore ce soir son dévolu
sur lui, il en était presque écœuré.

Il se réjouit de pouvoir aller quand il voulait au mess
des officiers. Il s'y rendrait un peu plus tard, pour ne
plus rencontrer Ingrid. Elle était toujours si pressée !

Olaf se sentait mal à l'aise. Ingrid avait mérité des
paroles sévères, mais il n'aurait pas dû la traiter d'intri-
gante.

143

Il attendit un bon moment ; enfin, il gagna le mess des officiers. Il y trouva Ingrid, l'adjoint du commissaire et le second. Le steward donna une assiette à Olaf et demanda s'il voulait du potage ou s'il préférait passer directement au poisson.

— Ni l'un ni l'autre, répondit Olaf qui avait jeté un coup d'œil au chauffe-plat ; une escalope, s'il vous plaît.

Il avait salué les autres convives de la tête et ceux-ci lui avaient répondu. Seule Ingrid ne lui accorda pas un regard. Toute pâle, elle chipotait dans son assiette.

— Il faut manger, mademoiselle Buffet-Froid, dit le second. Sinon, vous allez nous fondre entre les mains, petite et mince comme vous voilà devenue.

— Ce n'est pas une publicité pour votre profession ! s'esclaffa le commissaire. Bon appétit, je descends fumer une cigarette.

— Moi aussi, répondit le second. Notre mademoiselle Buffet-Froid est en excellente compagnie. Nous pouvons la laisser.

Les deux uniformes bleus disparurent, deux têtes saluèrent depuis la porte.

Le jeune steward repassa les plats. Non, merci, plus rien. Et lui aussi s'éclipsa.

— Ingrid, dit Olaf après un pénible silence.

Elle leva les yeux.

— Je, hum, je regrette. Je me suis conduit comme un mufle et je te prie de m'en excuser.

— Mais oui, Olaf... Ne m'en veux pas non plus.

— Certainement pas... Essayons d'oublier cet incident.

Ingrid ne répondit pas. Olaf se tut un instant puis reprit :

— Il devrait nous être possible de nous trouver dans la même pièce sans nous arracher les yeux. Je pense que le petit flirt que nous avons eu là-bas ne doit pas nous transformer en ennemis mortels.

— Non, dit Ingrid d'une voix sèche et sans timbre.

— Et, si tu pars..., dit Olaf.

La porte s'ouvrit et Olaf se tut.

— Miss Mehling, excusez-moi, je vous ai cherchée partout jusqu'à ce que le commissaire m'envoie ici. Je devais vous remettre cette lettre de miss Chester. Excusez-moi encore de vous avoir dérangée, mademoiselle.

Odette prit le temps de couler un regard de velours entre ses cils noirs en direction d'Olaf avant de se retirer.

Ingrid tourna et retourna l'enveloppe avant de se décider à l'ouvrir avec un haussement d'épaules. Dix billets de dix dollars, longs et étroits, en tombèrent.

Chère miss Mehling, demain nous descendons à terre. Peut-être une petite avance vous serait-elle agréable? Je vous vois si rarement qu'Odette vous remettra ceci. Je suppose que notre affaire est réglée, n'est-ce pas? Si je n'ai pas reçu de vos nouvelles d'ici à demain soir, je vous retiens un billet d'avion pour le 4 août...

Ingrid bondit.

— Excuse-moi, je dois sortir.

Olaf recula pour la laisser passer. Il suivit Ingrid des yeux tandis qu'elle disparaissait, la lettre à la main. Ainsi, sa situation chez Carola était si bien assurée qu'on lui remettait déjà une liasse de billets de dix dollars! Olaf resta seul à sa table devant sa tasse de café déjà presque froide.

Ingrid alla sur le pont et regarda à travers les fenêtres éclairées. Bien sûr, Carola tourbillonnait, ennuagée dans cinquante mètres d'organdi. Elle était si belle qu'Ingrid oublia pour un instant ce qu'elle voulait.

Pourtant il fallait qu'elle parle à Carola. N'était-ce pas trop bête qu'il lui fût interdit d'entrer, de poser poliment la main sur le bras de l'actrice et de lui demander un instant d'entretien? Elle devait réfléchir, car Carola Chester lui avait donné un délai pour se décider et elle était bien capable de télégraphier pour retenir son billet d'avion.

Ingrid allait et venait sans arrêt. Un couple sortit, un smoking élégant, une veste de fourrure blanche sur de la mousseline bleue. Ils se tenaient tout près l'un de l'autre, appuyés au bastingage, et la manche noire du smoking se détachait nettement sur la veste blanche.

Ingrid pensait aux minutes volées là-haut sur le pont des sports, à ces merveilleuses et navrantes minutes en cet endroit défendu, à une heure défendue.

Un uniforme aux tresses d'or surgit devant elle.

— N'est-ce pas Mlle Ingrid? Je dois vous demander de vous retirer. Vous savez...

L'officier n'était pas fâché, mais il parlait d'un ton sans réplique.

— Oui, excusez-moi. J'essayais d'apercevoir miss Chester à qui je dois absolument parler.

— Tentez plutôt cette chance auprès de la petite soubrette française. Elle est sur le pont des sports à l'abri de la cheminée et prépare une manœuvre pour envoûter le mécanicien qui a fini son service !

Ingrid eut un rire pâle.

— Je préfère les laisser en paix. C'est miss Chester que je dois voir.

— Alors, attendez demain. La belle dame donne l'impression de vouloir passer toute la nuit à danser.

— Sûrement. Alors, j'attendrai. Excusez-moi d'être venue dans cette région interdite. Bonsoir.

— Bonne nuit, mademoiselle... *Sorry,* ajouta-t-il.

Le premier officier suivit des yeux la silhouette menue.

Il en avait pitié : elle semblait épuisée. On aurait dit qu'un souci la rongeait.

L'enveloppe contenant les cent dollars semblait brûler la poche d'Ingrid. Il fallait qu'elle rencontre miss Chester demain le plus tôt possible afin de lui rendre cet argent. Le cœur lourd, elle alla se coucher. Elle ne parvint pas à trouver le sommeil.

Le lendemain matin, le soleil brillait directement à travers le hublot. La *Naïade* était immobile. Ingrid regarda dehors. De hautes parois rocheuses s'élevaient de tous côtés et le fjord était d'un vert intense comme seuls peuvent l'être les fjords norvégiens. Un ciel bleu, lumineux, rayonnait sur ce paysage où l'air vibrait de chaleur.

Les passagers se levèrent de bonne heure, une ambiance joyeuse régnait autour des tables du petit déjeuner. Morte de fatigue et tourmentée par une atroce migraine, Ingrid se tenait à son passe-plat. Tiens, aujourd'hui, Carola avait daigné paraître très tôt ! Il fallait essayer de la saisir avant qu'elle ne descende à terre. Sur le quai, une file de taxis attendait les passagers pour les conduire au refuge de Djupvass. Sûrement, Carola allait prendre la première vedette.

Hélas ! Ingrid ne s'était pas trompée. Quand elle parvint enfin à quitter la cuisine, le premier bateau partait : Carola y était assise, auprès d'Odette, en deux-pièces blanc et lunettes noires.

Que faire maintenant de cet argent ?

La journée fut rude pour Ingrid ; elle était épuisée et ne parvenait pas à détourner ses pensées de sa dispute avec Olaf. Et, par-dessus le marché, ces maudits dollars ! Mais le buffet froid devait être aussi parfait que d'habitude ; de plus, il fallait préparer le dîner du commandant. Ingrid soupira. Elle s'échappa cinq minutes dans sa cabine et écrivit :

Mademoiselle, j'ai essayé en vain de vous rencontrer. En vous remerciant de votre générosité, je dois vous rendre cette somme. A mon grand regret, il ne m'est pas possible d'accepter votre aimable proposition. En y réfléchissant mûrement, je pense que je ne peux pas abandonner le travail que j'ai

148

*entrepris dans mon pays. Je vous remercie sincèrement de la
confiance que vous m'avez témoignée en m'offrant une si
brillante situation. J'espère que vous trouverez une jeune
fille qui pourra occuper cette place à votre satisfaction.*

Avec l'expression de ma haute considération,

Ingrid MEHLING.

Ingrid glissa cette lettre avec les cent dollars dans une
enveloppe et y inscrivit le nom de Carola.

* * *

A l'heure du lunch, les vedettes revinrent... mais sans
Carola. Ingrid était désespérée : l'après-midi, il lui serait
impossible de se libérer pour parler à l'actrice.

Elle trouva la femme de chambre qui s'occupait de la
cabine de luxe.

Celle-ci promit de remettre son message à miss Chester,
qui la sonnerait sûrement au cours de la journée. Ingrid
pouvait être tranquille.

Ingrid mit en branle tous ses aides et toutes ses
machines. Tandis que les passagers dormaient, jouaient
au tennis de pont ou visitaient Geiranger, Ingrid travailla
sans relâche. Elle composa le buffet le plus somptueux
qu'on ait jamais vu à bord de la *Naïade*.

Son labeur ne lui donnait aucun plaisir : il ne représentait plus pour elle qu'un devoir amer. Elle ne souhaitait
plus que regagner son petit appartement paisible, sa

cuisine. Non, pas sa cuisine : elle y avait trop de souvenirs ; il y régnait une atmosphère de bonheur, irradié par tous les objets, qui lui serait insupportable.

Ce qu'il lui fallait, c'était la solitude. Comme ce serait doux de fermer sa porte et d'être tout à fait seule ! Elle n'avait même plus une épaule sur laquelle s'appuyer, personne à qui parler, personne qui fût bon pour elle.

De nouveau, un sentiment effroyable d'isolement la paralysa.

CHAPITRE XIV

L'ENTHOUSIASME régnait dans la salle à manger. Le buffet froid suscita de petits cris d'admiration et le menu raffiné séduisit les passagers. Puis le capitaine prononça un discours amusant et brillant, émaillé de mots d'esprit.

Après le repas de fête, les verres tintèrent dans la salle de danse. On entendait l'orchestre de loin dans la nuit d'été et la soirée se prolongea jusqu'à l'aube.

UN MARI POUR INGRID

Ingrid avait entendu des bribes de conversation ; tout le monde parlait fort et les mots arrivaient jusqu'à elle par le guichet.

— Ce que j'ai trouvé le plus impressionnant, c'étaient les châteaux d'Édimbourg.

— Ah ! non, moi, c'étaient les promenades sur les poneys du Shetland.

— Le plus drôle, c'étaient les œufs qui cuisaient dans les sources bouillantes d'Hafnarfjordur.

— Dans les îles Féroé, on croit revivre l'histoire de la Norvège.

— Le plus beau, croyez-moi, ce sera le retour en Norvège.

— Figurez-vous que j'ai trouvé des renoncules des neiges, près du refuge de Djupvass...

Ingrid soupira : elle n'avait rien vu de toutes ces merveilles. Elle s'était éreintée dans sa cuisine à préparer des mets délicats pour une troupe d'oisifs.

D'un seul coup, elle sentit monter une haine aveugle envers tous ces goinfres, ces paresseux, ces parasites. Ah ! comme elle en avait assez de ces gens, comme il lui tardait de se retrouver seule !

Elle ne s'inquiéta plus de rencontrer Carola ; elle avait remis sa lettre, au moins ce point était réglé.

Elle découvrit Olaf à la salle à manger, assis auprès de Carola à la table du commandant. Bien sûr : tout marchait selon ses caprices ! Carola savait obtenir ce qu'elle voulait... et, pour le moment, elle s'intéressait à Olaf. Et lui ? Ma foi, il n'aurait pas pu souhaiter une voisine de table plus élégante. Beaucoup de regards se tournaient vers ce beau couple.

Carola ne le lâcha pas d'une semelle. Odette n'aurait pas fait mieux avec ses yeux de velours. Carola accapara Olaf toute la soirée, rendant jaloux beaucoup d'autres hommes.

Quand il la quitta enfin, quand la musique se tut et que les lumières s'éteignirent, Ingrid, épuisée, dormait déjà d'un profond sommeil.

— Écoute, Ingrid, déclara Tom le lendemain, tu as l'air fatiguée comme si une baleine t'avait avalée et recrachée ensuite !

— Je manque de sommeil en ce moment.

— Tu travailles trop dur. Dans une heure, nous arriverons à Bergen. Beaucoup de passagers nous quitteront. Demain, nous passons toute la journée dans le fjord de Kvinnherad ; tu auras congé du matin au soir. Tes marmitons sont capables de dresser un buffet si tu leur donnes tes instructions...

— Oui, mais ne crois-tu pas...

— Si, justement, je le crois. Il y aura peu de convives pour le lunch, la plupart d'entre eux mangeront à terre. Ils visiteront la résidence de Rosendal et, si ce beau temps continue, ils ne se hâteront pas de remonter à bord.

— Merci, Tom.

— C'est tout naturel. Descends à terre et amuse-toi. Peut-être trouveras-tu un aimable admirateur ?

Ingrid sourit faiblement :

— Et qui donc?

— Eh bien, celui qui sera libre demain...

Le second se mit à rire :

— Alors, je dois figurer sur la liste. Tous mes regrets. Demain, je vais voir ma femme.

— Tu as de la chance. Est-elle à Rosendal?

— Non, à Sundal, en vacances avec les enfants. J'ai le droit de prendre le petit bateau à moteur pour m'y rendre.

Ingrid le regarda.

— Oh! pourrai-je aller avec vous? Pas chez ta femme, mais à Sundal. J'ai si envie de voir le Bondhus en montant vers Folgefonna.

— Naturellement; c'est une excursion superbe. Pensez-vous y aller seule?

— Oui, justement; je ne peux plus supporter les gens.

Le second et le commissaire hochèrent la tête en même temps.

— En es-tu déjà là? plaisanta Tom. Cela nous arrive à tous. Bon amusement, Ingrid.

Un peu plus tard, à l'entrée dans Bergen, elle se tenait sur le pont avant.

Le soleil scintillait sur les sept montagnes où s'accrochaient des maisons peintes de couleurs claires, entourées d'épaisse verdure.

— Quelle ville merveilleuse! s'extasia Ingrid.

— N'est-ce pas, répondit le commissaire de bord. Savez-vous ce que dit le commandant? « J'ai fait plusieurs fois le tour de la terre, je connais presque tous les grands ports, mais les deux plus belles villes, ce sont Bergen et

Rio de Janeiro. Et je ne sais vraiment pas laquelle des deux je préfère. »

Ingrid n'avait pas vu Rio, mais elle ne pouvait imaginer une ville plus extraordinaire que Bergen surgissant de la mer par une claire journée d'été...

Bientôt elle soupira... Le devoir l'appelait. Elle jeta encore un coup d'œil nostalgique à cette ville qui prenait maintenant des formes plus nettes, au fjord et au ciel bleu. Puis elle se détourna et regagna son domaine.

— Mademoiselle Mehling! Miss Chester vous demande. Avez-vous le temps de venir?

Ingrid ôta son tablier.

— Tout de suite, mademoiselle Odette.

Pourvu que Carola n'essaie pas de la convaincre et qu'elle ne soit pas trop mécontente!

— Bonjour, miss Mehling. Vous m'évitez comme si je vous faisais peur. Je voudrais vous parler de...

— Je regrette, miss Chester, j'ai tenté de vous voir, mais vous étiez si occupée...

Carola se mit à rire.

— Oui, vous pouvez le dire. Comme vous avez un charmant compatriote, miss Mehling! Ah! (Elle s'étira avec un petit sourire mystérieux au coin des lèvres.) Alors, comment nous organiserons-nous? Sans doute devez-vous retourner chez vous pour faire vos bagages. Nous nous retrouverons ensuite à Oslo, la veille du départ.

— Mais, miss Chester, je vous ai pourtant expliqué que...

— Qu'est-ce que vous m'avez expliqué?

— Eh bien, dans ma lettre d'hier.

— Quelle lettre? Je vous en ai envoyé une par Odette, mais...

— Oui, miss Chester, et je vous ai rendu les cent dollars.

— Rendu? Par exemple! Que me racontez-vous là? Et pourquoi me les auriez-vous rendus?

— Miss Chester, je vous ai écrit que je ne pouvais pas venir et que je ne pouvais pas abandonner mon travail chez moi.

Carola se redressa. Son aimable et nonchalant sourire s'était évanoui et elle parla d'une voix tranchante :

— Écoutez, c'est un peu fort! Voudriez-vous dire que vous vous moquez de moi?

— Non, miss Chester, j'ai essayé sans cesse de vous rencontrer.

— J'ai toujours été à bord et vous savez où se trouve ma cabine.

Ingrid se sentit bouillir de colère :

— Oui, mais vous n'y êtes jamais. Et moi, qui ne suis qu'un chef de cuisine, je n'ai pas le droit d'aller à la salle à manger ou sur la piste pour vous voir. Pendant toute la journée d'hier, vous avez été à terre. J'ai donc été obligée de vous écrire pour vous prévenir.

— Et vous avez remis votre lettre à un pigeon voyageur?

— Mais non, à la femme de chambre qui est chargée de votre cabine. Il m'était impossible de venir moi-même. et je devais vous donner ma réponse.

Carola plissa les yeux.

— Vous savez, cette histoire de lettre est tout à fait suspecte. Je n'y crois pas. Avouez donc que vous pensiez garder les cent dollars, de beaux dollars américains, des devises lourdes? Et ensuite vous pensiez vous en aller.

Ingrid était si indignée qu'elle se sentait capable de gifler le joli visage de Carola.

Ainsi, c'était la vraie Carola quand son vernis s'écaillait!

— Je vous en prie, miss Chester. Vous essayez de me lier à vous avec un acompte que vous m'imposez. Seulement, si vous pensez réussir ainsi, vous vous trompez. Et vos insinuations sont scandaleuses. Reprenez votre sale argent. Si vous croyez me traîner de force à Hollywood avec de fausses promesses, vous vous trompez. Faites-vous mijoter vos régimes par qui vous voudrez. Vous pouvez bien peser quatre-vingts kilos, je m'en moque!

Carola bondit.

— Voilà qui va vous coûter cher! Vous avez accepté un acompte, vous êtes donc mon employée. Et vous vous permettez des effronteries, comme je n'ai...

— Je ne suis pas à votre service, et que le Ciel m'en préserve! Je me réjouis de travailler dans mon pays dans des conditions convenables...

Soudain, Carola se calma. Ses yeux se rétrécirent

157

jusqu'à n'être que d'étroites fentes et sa voix vibra d'une joie maligne :

— Convenables? Ah! oui. C'est sans doute la correction qui vous pousse à embrasser la nuit, à l'abri des cheminées, des passagers de rencontre?

Une rougeur brûlante monta au front d'Ingrid. Elle sentit qu'elle allait fondre en larmes si elle restait là une minute de plus.

Elle saisit la poignée de la porte.

— Espèce de mégère! siffla-t-elle en claquant la porte.

Heureusement que son vocabulaire anglais était limité : elle avait dit ces mots en norvégien.

Mais Carola avait sûrement compris son intonation.

Ingrid se mit à courir comme une folle pour retrouver la femme de chambre. Sans vergogne, elle arpenta tout le bateau, partout où une « mademoiselle Buffet-Froid » n'avait rien à faire.

Enfin, elle retrouva la jeune femme dans une cabine qu'elle remettait en ordre.

— Mon Dieu, mademoiselle Mehling, je n'ai pas pu remettre votre lettre hier.

— Mais enfin, je vous avais assez répété que c'était important! explosa Ingrid. Si vous saviez quels ennuis vous m'avez créés!

— Oui, mais miss Chester n'est revenue que tard dans l'après-midi et j'étais à terre, car j'avais congé. Je vais aller chercher votre lettre tout de suite.

UN MARI POUR INGRID

Elle partit et Ingrid l'attendit. Elle entendit piétiner sur le pont. Elle n'avait pas remarqué que le bateau était déjà à quai. Elle regarda dehors. Quelques jeunes gens portant des magnétophones et des caméras se hâtaient de gagner le pont.

Des reporters! Carola allait être interviewée et elle n'aurait pas l'occasion de se débarrasser de ces maudits dollars...

Quand la femme de chambre revint, elle lui arracha la lettre des mains et, sans s'inquiéter de fouler un terrain défendu, sans accorder d'attention à la bousculade, Ingrid se précipita dans la cabine de Carola et ouvrit brusquement la porte, sans avoir frappé.

Elle vit des étrangers dans la cabine.

Elle entendit des phrases comme : « Visitez-vous la Scandinavie pour la première fois, miss Chester? »

Alors, elle posa violemment la lettre sur la table.

— Voici votre argent, miss Chester.

— Miss Mehling, votre attitude est inqualifiable ! Et Carola repoussa la lettre.

— Ouvrez-la pour constater que l'argent s'y trouve.

— Sortez immédiatement ! J'ouvre mon courrier quand il me plaît.

— Peut-être. Pourtant, cette enveloppe, vous l'ouvrirez quand il *me* plaira.

Ingrid la prit et déchira l'enveloppe.

— Voici : deux, quatre, cinq, huit, dix. Dix billets de dix dollars, tout est en règle.

Les reporters suivaient la scène avec des yeux ronds.

Enfin, quelque chose de moins banal à relater que les commentaires traditionnels : une star célèbre émerveillée par les paysages norvégiens ; Carola Chester se réjouit de connaître la Norvège. Déjà, ils prenaient des notes.

— Non, ce n'est pas en règle, miss Mehling.

Un éclair brilla. Les visages furieux d'Ingrid et de Carola étaient fixés sur la pellicule.

Les flashes ramenèrent Ingrid à la réalité.

C'était le scandale, et un scandale énorme.

— Si cela ne vous convient pas, ne vous en prenez qu'à vous-même. J'ai fait ce qui m'incombait. Au revoir, miss.

Une fois sortie de la cabine, Ingrid s'adossa en tremblant à la paroi. Eh bien ! elle avait réussi.

Même si les journalistes s'exprimaient avec discrétion, ils raconteraient ce que Carola leur dirait et, à cette idée, Ingrid en avait le vertige.

Carola s'arrangerait pour que cette interview ne serve pas la publicité de la *Naïade* et de ses armateurs. Et Ingrid avait fini son temps à bord. Il n'y aurait pas de traversée aux États-Unis, mais on la congédierait honteusement.

Elle se glissa dans sa cabine. Les mains pressées sur les tempes, elle s'affala sur sa couchette. Son cœur battait à grands coups.

Qu'avait-elle fait là !

Elle tenta de se remémorer ses propos exacts ; et, ce qui était curieux, c'est que le « scandale » passait au

second plan. Les reporters, les photos, les menaces de
Carola, tout devint soudain ridicule et insignifiant.
Mais, ce qui brûlait, c'était une phrase : « Vous avez
un si charmant compatriote ! »

Oh ! si Ingrid avait su d'avance combien de malheurs
l'atteindraient pendant ce voyage ! Elle aurait dû passer
ses vacances dans son petit appartement ou alors...,
oui, n'importe quelle autre solution aurait été meilleure.

A la maison ? Pour y rencontrer Olaf tous les jours ?
Non, cela aurait été impossible.

Elle se sentait harassée, poursuivie, désemparée, toute
seule dans le vaste monde.

Non, non, pas si seule que cela : il y avait un être qui
tenait à elle, qui l'attendait à bras ouverts, qui la pro-
tègerait. Un homme qui attendait sa réponse. Eh bien,
il l'aurait. Il l'aurait aujourd'hui même.

Elle se recoiffa, se poudra, ajusta sa robe. Puis elle
sortit, la tête haute, pour aller chercher le radio. Elle
n'avait pas besoin d'écrire le télégramme. Le texte
était bref : *Oui. Ingrid.*

Bientôt, elle fut dans la petite pièce encombrée de tous
les appareils de la télégraphie sans fil, casque, innombrables boutons et mécanismes auxquels elle ne connaissait rien.

— Voudriez-vous envoyer un télégramme pour moi,
Christoffersen ?

— Bien sûr, mademoiselle Buffet-Froid. L'avez-vous
noté ?

— Non, il est très court. Je vais vous le dicter.

Quelqu'un passa sur le pont; elle aperçut son profil par la fenêtre.

— Je vous écoute...

— Docteur Guillaume Gjerdal...

Alors, dehors, le passant se retourna. Il s'arrêta et regarda vers la terre. Elle le voyait de trois quarts, avec ses grands yeux sombres. Il paraissait tout à coup très jeune et très esseulé.

— Et l'adresse...

Ingrid ne pouvait détacher ses regards de cette silhouette. Machinalement, elle continua à dicter :

— Avenue du Prince, 45...

Sa bouche avait un pli sévère, cette bouche... Ingrid se mordit les lèvres. Ses joues étaient hâlées. Et soudain Ingrid sentit que ses mains étaient brûlantes : toutes ses sensations s'étaient réfugiées dans ses paumes, qui se souvenaient d'avoir caressé ces joues brunes.

Ingrid entendit sa propre voix, aussi étrange que si elle parvenait de très loin :

— *Non. Ingrid.*

CHAPITRE XV

U NE heure avant de repartir, Ingrid se heurta dans le couloir à la femme de chambre chargée de la cabine de Carola.

— Eh bien, vous avez l'air joliment agitée! s'exclama-t-elle en souriant.

— Oui, parce que cette femme veut subitement qu'on fasse ses valises.

— Qui donc?

— Miss Chester, naturellement. D'un seul coup, elle a décidé qu'elle préférait poursuivre son voyage par chemin de fer! Elle a envoyé sa soubrette française préparer ses bagages et je dois l'y aider. Je suis très pressée, miss Mehling.

Dieu merci, quel soulagement!

Bien qu'Ingrid fût très occupée, elle prit le temps de voir transporter à terre toutes les valises et les boîtes à maquillage de Carola.

Il lui semblait qu'avec elles une grande partie de ses soucis quittaient le bateau. Plus calme qu'elle ne l'avait été pendant ces derniers jours, Ingrid retourna à ses occupations.

Juste au moment du départ de la *Naïade,* les journaux du soir arrivèrent. Ingrid se jeta dessus, les mains tremblantes. Pas un mot. Quelle chance que ces feuilles soient imprimées de si bonne heure! Le scandale éclaterait demain. C'étaient toujours vingt-quatre heures de sursis.

Depuis qu'ils avaient regagné la Norvège, le temps était chaud. Le jour de leur arrivée dans le fjord de Kvinnherad, la température battit tous les records. Au-dessus du fjord, entre les montagnes, l'air était vibrant de chaleur. Les bateaux commencèrent leur navette avec la terre très tôt le matin, car tous les touristes voulaient voir le merveilleux glacier d'Hardanger.

Ingrid se tenait appuyée au bastingage du pont avant, auprès de Tom.

— Ne vas-tu pas descendre à terre, Ingrid?

— Si, nous partons dans une demi-heure.

— Te réjouis-tu de ce bon jour de congé?

— Sincèrement, oui. Après l'agitation d'hier!

— Tu veux parler de Carola? Qu'est-ce que c'est que cette histoire?

— Rien de grave : simplement, elle voulait m'entraîner à Hollywood par des procédés inélégants ; elle a essayé de me forcer à accepter un acompte que je n'avais pas demandé. Et alors — oh! tu sais, ce n'étaient que des comédies! — toujours est-il qu'elle s'est comportée de façon détestable. Et, quand j'aurai achevé cette traversée avec vous pour les États-Unis, ce sera avec joie que je recommencerai à cuisiner pour mes voisines.

Peu après, le second apparut, portant une grande valise. Comme les touristes, il avait acheté de nombreux lainages aux îles Shetland, et se sentait d'aussi belle humeur que le soleil.

— Alors, partons, mademoiselle Ingrid.

Bientôt, le bateau à moteur disparut à bonne allure vers l'est, en direction du fjord de Mauranger.

Tom les suivit des yeux. Quelqu'un vint s'appuyer au bastingage près de lui.

— Bonjour, monsieur Varland. Vous ne voulez pas descendre à terre?

— Ah! rien ne presse. Je suis très bien ici.

— Hum, je ne sais pas... Ce n'est plus très amusant à bord, maintenant que tous les passagers sont en excursion et que noble dame Chester a disparu.

UN MARI POUR INGRID

— Je ne saurais prétendre que cette dame m'ait beaucoup intéressé.

— Oui, mais vous, vous lui plaisiez. Enfin, la voilà disparue comme un songe.

Olaf se tut un moment, puis il parla en tâchant de prendre un ton calme et dégagé :

— Je croyais qu'elle devait emmener Ingrid.

— Ingrid ? Mlle Buffet-Froid ? Mais non, elle n'avait pas envie de vivre en Amérique. C'est Carola qui le voulait à tout prix, mais Ingrid vient de me raconter qu'elle préférait reprendre son service de repas dans l'immeuble où elle habite.

— Oui, pourtant... (Olaf parlait très vite, maintenant, oubliant qu'il voulait paraître détaché.) Ingrid elle-même m'a dit qu'elle allait aux États-Unis.

— Oui, c'est vrai. Mais c'est seulement pour une traversée de trois semaines. Nous souhaitons beaucoup l'avoir encore à bord. Notre chef est toujours malade et ne reviendra que fin août.

Olaf regardait Tom fixement, et soudain la lumière se fit dans son esprit.

Le bateau à moteur qui emportait Ingrid et le second n'était plus qu'un tout petit point dans le fjord.

Olaf prit Tom par le bras. Sa voix n'était plus indifférente ni calme.

— Écoutez, je dois rejoindre Ingrid, le plus vite possible. Croyez-vous qu'il existe un moyen quelconque de parvenir à Sundal ?

— Ce sera difficile.

— Mais je dois y aller! C'est d'une importance vitale! A qui faut-il m'adresser? Au commandant?

Tom le regarda.

— Attendez ici. Je vais voir ce que je peux faire.

Olaf attendit. Maintenant, on ne voyait plus le petit bateau. Il était sur des charbons ardents et comptait les minutes. L'absence de Tom dura longtemps, longtemps.

Enfin, un des matelots arriva en courant :

— Est-ce vous qui vouliez aller à Sundal?

— Oui !

— J'ai ordre de vous y conduire, mais je suis chargé de vous dire qu'il vous faudra rentrer ce soir par le petit bateau à moteur, parce que nous avons besoin des vedettes à Rosendal pour les passagers.

— C'est très bien, même si je dois revenir à la nage. Maintenant, dépêchez-vous.

Des pensées étranges traversaient l'esprit d'Olaf tandis que le bateau fendait l'eau bleue et brillante comme un miroir, en direction de Sundal. Ce qui le préoccupait le plus, ce n'était ni la belle voiture de sport, ni Guillaume tel qu'il l'avait surpris le fameux soir, pour la première fois, dans la cuisine d'Ingrid, Guillaume tenant Ingrid entre ses bras. Non, il évoquait sa propre attitude, dans la cabine d'Ingrid, ses paroles et... il se sentait bien mal à l'aise, car il avait honte.

Le matelot qui conduisait le bateau désigna le ciel.

— Il va y avoir un orage, annonça-t-il.

Olaf ne l'écoutait pas. Ses yeux étaient rivés à l'embar-

167

cadère de Sundal : le petit bateau à moteur y était bien amarré, mais on ne voyait personne. Personne d'intéressant, du moins.

— Tâchez de retrouver le second si vous voulez rentrer ce soir. Oh! mon Dieu!

Tout éberlué, le matelot vit Olaf qui s'éloignait déjà à grandes enjambées. Puis il examina ce qu'il lui avait glissé dans la main; il écarquilla les yeux. Un pourboire était toujours bon à prendre, surtout s'il était généreux, mais celui-ci était énorme.

En hochant la tête, il remit le moteur en marche et vira de bord. Sur la *Naïade*, il rencontra Tom.

— Avez-vous conduit votre passager à bon port?

— Oh! oui! s'exclama le matelot, qui lui raconta tous les détails.

— Ah, ah! grommela Tom d'un air entendu.

Olaf avait retiré sa veste. Sa chemise lui collait au corps. L'ascension vers le Bondhus est peu fatigante, mais par ce soleil et à une allure aussi folle...! Un coureur de marathon aurait eu beaucoup à apprendre d'Olaf!

Le long du sentier écumaient les flots vert et blanc du fleuve puissant. Par endroits, on eût dit qu'il s'était ouvert la voie de force. Mais Olaf n'accordait nulle attention à cette nature grandiose. Il grimpait infatigablement vers son but. Enfin, il fut au bord de l'eau froide et verte au-dessous du glacier. Les récifs serrés les uns contre les autres dressaient leurs pointes grises au-dessus de la surface de l'eau. Le fleuve glaciaire continuait sa course en violents tourbillons au-delà du lac. Il fallait se méfier du courant. Là-bas, Olaf allait sans doute trouver la barque destinée aux touristes.

Effectivement, la frêle silhouette d'une jeune fille était penchée pour en dénouer la chaîne.

— Hou, hou, Ingrid!

Elle se retourna et le sang afflua lentement à ses joues.

— Veux-tu traverser vers le glacier? demanda Olaf.

— Oui.

— Moi aussi. Laisse-moi ramer. Cette barque est beaucoup trop lourde pour toi.

Ingrid ne répondit pas. Olaf détacha le bateau et l'aida à y monter. Il rama sans mot dire. Au loin on entendait les roulements sourds du tonnerre.

— Il va sans doute y avoir un orage, dit enfin Ingrid.

— Oui, peut-être. (Olaf leva les yeux.) Oh! oui, les nuages s'amoncellent. C'était à prévoir avec une chaleur pareille. As-tu pris un imperméable?

— Non.

— Aïe! Tu vas sans doute te faire mouiller. Veux-tu que nous fassions demi-tour?

— Oh! non, ce serait trop dommage. Je voudrais au moins parvenir jusqu'au bord du glacier. Je n'en ai jamais vu un de près.

Olaf manœuvrait le grand bateau entre les récifs. Le soleil avait disparu. Des nuages noirs surgirent au sud-ouest, lourds de pluie et chargés d'électricité.

Et soudain l'orage éclata, si brutalement qu'Ingrid et Olaf en eurent le souffle coupé.

Entre les montagnes, l'écho décuplait le fracas du tonnerre. Puis les nuages crevèrent avec la violence d'une tornade tropicale : les trombes d'eau étaient si fortes que l'air semblait bouillir. Au même instant, ils se trouvèrent au cœur de la tempête.

Ingrid se recroquevilla sur elle-même et serra les dents. Elle tremblait de peur. Pourtant, elle n'était pas si effrayée qu'à l'habitude par les coups de tonnerre, car Olaf, Olaf était auprès d'elle.

La foudre tomba dans l'eau non loin du bateau.

Alors elle perçut la voix d'Olaf qui devait crier pour se faire entendre :

— Ingrid, écoute. Je t'aime, Ingrid ! Je dois te le dire tout de suite, avant que nous...

Un nouvel éclair jaillit, accompagné d'un coup de tonnerre.

Ingrid crut que ses tympans allaient éclater, mais la voix d'Olaf poursuivit :

— Tu m'entends, Ingrid ?

— Oui, Olaf.

— Nous sommes en danger de mort, Ingrid. C'est pourquoi je dois vite te le dire : je t'aime, Ingrid. Je t'ai aimée dès le premier jour. Je me moque de tout le reste... J'ai essayé de t'oublier, mais...

— Olaf ! Olaf !

Ingrid hurlait dans le fracas du tonnerre. Elle était

170

toute trempée. La pluie lui fouettait rudement le visage et lui faisait mal.

— Je t'aime aussi, Olaf! Et j'ai tant souffert...

— Et moi aussi, si tu savais!

— Encore la foudre! Olaf, nous allons peut-être mourir. Olaf, je t'aime passionnément.

Ils étaient là, effrayés, désemparés sur leur bateau au milieu des éléments déchaînés. Mais seul leur importait leur amour.

— Ingrid, va vers l'avant et tâche de repérer les écueils.

Elle s'assit derrière son dos et tenta d'y voir à travers l'épais rideau scintillant de la pluie. Ils luttèrent ainsi pour atteindre la terre. Quand ils y seraient parvenus, le danger ne serait plus si menaçant. Ils pourraient chercher refuge sous une corniche de rocher.

La pluie ruisselait toujours avec autant de force. Au fond de la barque, un petit lac s'était formé.

On ne distinguait même pas sa propre main devant ses yeux. Olaf se mordit les lèvres, songeant aux récifs innombrables. S'ils s'échouaient..., ce serait fini.

Le bateau heurta un écueil. Le niveau de l'eau monta brusquement : la barque s'était ouverte en heurtant le rocher.

— Ingrid, retire ta robe et tes chaussures; nous devons gagner le bord à la nage.

Elle obéit. Olaf prit sa robe légère et se l'enroula autour du cou. Puis il attacha ensemble leurs deux paires de chaussures et les suspendit aussi à son cou.

UN MARI POUR INGRID

Il la prit par la main.

— Ingrid, ma bien-aimée !

Il la serra un instant contre lui sous la pluie battante, à la lueur zigzagante des éclairs, et, tandis que le tonnerre roulait dans les montagnes, il l'embrassa.

Ingrid était très calme. Ruisselante, debout dans l'eau de la barque, les jambes nues, elle se serra contre lui. Plus forte que la peur de ce danger terrible était la conscience d'être aux côtés de l'homme qu'elle aimait. Ils affronteraient le péril à deux, ils le vaincraient à deux ou ils périraient ensemble. Quoi qu'il arrive, ils partageraient le même sort.

Alors, ils sautèrent dans l'eau glacée du lac.

Ingrid était bonne nageuse, mais l'eau verte du glacier lui coupa presque le souffle. Elle tâcha d'avancer et Olaf nageait tout près d'elle.

Un éclair. Mais quelques secondes s'écoulèrent avant le coup de tonnerre.

— Courage, Ingrid, le pire est passé.

En effet, la pluie tombait encore, mais avec une violence moins inquiétante.

Cependant, le froid s'insinuait dans le corps d'Ingrid et ce qu'elle redoutait arriva : son pied gauche se raidit et le froid monta le long de sa jambe jusqu'à la cuisse.

— Olaf, j'ai une crampe, je ne peux plus nager.

— Mets-toi sur le dos, vite.

Elle parvint tout juste à se retourner, puis on eût dit que ses jambes l'entraînaient vers le fond comme deux blocs de plomb. Une seconde après, les mains d'Olaf tenaient sa tête.

— Ne bouge pas.

Et Ingrid resta sur le dos. Elle se sentait entraînée avec lenteur et régularité. L'eau passait sur son visage, mais elle savait qu'il fallait rester immobile pour aider Olaf.

Celui-ci nageait lentement pour économiser ses forces. Maintenant, il y voyait et pouvait s'orienter. La grosse averse était finie.

— Encore un peu de courage, Ingrid.

Ses jambes la faisaient horriblement souffrir. Les muscles de ses mollets et de ses cuisses étaient durcis par la crampe et ses pieds déjà insensibles.

Enfin, Olaf prit pied. Un instant plus tard Ingrid était étendue sur la rive.

Olaf se releva, reprit son souffle à plusieurs reprises, puis il souleva la jeune fille et l'emporta dans ses bras, cherchant un abri du regard. Là, le rocher en saillie leur offrirait un toit.

Le visage d'Ingrid était contracté de douleur. Sans dire un mot, Olaf se mit à la masser. L'atroce tension des muscles se relâcha. Ingrid recommença à sentir ses membres tandis que ses joues se coloraient.

— Voilà, Ingrid, nous avons réussi !

— Oui, Olaf ; nous avons réussi.

Il se pencha sur elle. Elle passa les bras autour de son cou et la terre lui sembla basculer. Ingrid flottait très haut, très haut, en proie à une félicité comme on n'en éprouve qu'une fois dans sa vie.

Leur explication dura longtemps. Ils s'étaient dit l'essentiel, ces trois petits mots qu'ils s'étaient criés dans le bateau à travers le tonnerre et la pluie battante. Ils les répétèrent de nombreuses fois. Il la tenait étroitement enlacée et elle se blottissait contre lui, comme si elle ne pouvait jamais assez se rapprocher de lui.

Enfin... Enfin, elle posa la question fatidique :

— Olaf, pourquoi as-tu disparu ? Pourquoi ne t'es-tu plus manifesté ? Je parle du jour où nous avions projeté une excursion.

Il la serra dans ses bras et lui caressa les cheveux en répondant :

— Ma chérie, que devais-je faire ? Je me suis précipité dans ta cuisine, ce fameux soir, pour te trouver dans les bras d'un autre. Vous ne m'avez pas vu, je me suis éclipsé. Y avait-il une autre conduite à tenir ?

— Mais maintenant, Olaf, que penses-tu de ce soir-là ?

— Je ne veux plus y penser et je tâcherai de l'oublier. La seule chose qui m'importe, c'est que nous soyons promis l'un à l'autre.

— Olaf, écoute-moi. J'étais furieuse contre Guillaume qui m'avait embrassée par surprise et ne voulait plus me lâcher. Et, si cela t'intéresse, sache qu'il ne m'a plus jamais embrassée ensuite.

— Et toutes vos promenades en auto ? Si tu savais ce

que j'ai souffert quand cette maudite voiture de sport arrivait en pleine nuit !

— Bien sûr, j'ai agi légèrement. Mais avoue que je ne pouvais pas toujours rester seule à la maison, dans le voisinage de Sonia, en train d'imaginer que tu étais chez elle. Je ne pouvais pas dormir ; je restais éveillée, guettant le moment où j'entendrais claquer sa porte. Mieux valait sortir avec Guillaume, le plus loin possible, et dîner au-dehors afin de rentrer tard.

— Sonia ! Mais, ma chérie, tu n'as tout de même pas été jalouse de Sonia ?

— Pas jalouse ? J'aurais aimé l'étrangler avec ses collants Pernille, ou verser de l'acide prussique dans les salades qu'elle me commandait si tu n'avais pas dû en manger.

Olaf éclata d'un rire joyeux.

— Ah ! Ingrid ! petite bécasse. Sonia et moi !

— Mais enfin, tu allais bien dîner chez elle !

— Et c'est toi qui préparais les plats. Pauvre Ingrid ! Quelle est l'expression consacrée ? Donner des verges pour se faire fouetter. Ingrid, réfléchis deux minutes. Je rentre le soir à la maison, brûlant du désir de te voir, et je te trouve avec un autre. Quel choc pénible ! J'étais furieux et jaloux ; j'appréhendais les soirées solitaires, ces soirées que je pensais passer avec toi. Et là-dessus je reçois une charmante invitation...

— D'une fille ravissante...

— D'une fille ravissante, concéda-t-il. Sonia est amusante avec son jargon et agréable à regarder, c'est vrai... De là à m'éprendre d'elle, non... Je préférerais tomber amoureux d'une belle statue ou d'un tableau, plutôt que de Sonia, car un portrait a le mérite de se taire et de se laisser admirer dans le calme. Les bavardages de Sonia étaient insupportables.

— Mais tu l'as tout de même accompagnée dans une randonnée de montagne.

— Oui, ainsi qu'une grande bande d'amis et d'amies à elle. Ils avaient loué un chalet et...

— Oh !...

C'était si visiblement le cri du cœur qu'Olaf se pencha pour regarder Ingrid dans les yeux.

— Alors, Olaf, vous n'étiez pas seuls ?

— Seuls ? Pas une seconde ! Dis-moi, petite peste, qu'es-tu allée t'imaginer ?

Ingrid ne parvint pas à soutenir son regard. Elle baissa les paupières et devint écarlate.

— J'aurais vraiment dû te battre, déclara malicieusement Olaf. Tu l'aurais mérité... Non, ma chérie. J'ai tenu exactement deux jours dans ce chalet, puis j'en ai eu assez. Un peu de chahut, cela m'amuse, je ne suis pas un vieux grand-père, mais là, vraiment, c'était trop ! Et Sonia, entre nous, s'est montrée sous son plus mauvais jour. Elle cadrait avec ce chalet comme... Enfin, ne soyons pas offensant ! Sa seule occupation de la journée consistait à bronzer au soleil et à exhiber sa beauté. Les autres pouvaient se charger du travail. Je suis donc retourné en ville et on m'a téléphoné de la société pour demander si je ne pouvais pas décaler de quelques semaines le reste de mes vacances afin de diriger l'installation de ces chambres froides en Islande.

— Dis-moi, Olaf, ignorais-tu vraiment ma présence sur la *Naïade?*

— Absolument. J'ai cru être la proie d'une hallucination quand je t'ai vue au mess des officiers, tenant une saucière de travers et la renversant dans le plat de compote !

— Ah ! Olaf !... (Quel soulagement dans sa voix !) J'ai passé des semaines terribles, Olaf.

— Et moi, crois-tu que je riais tous les jours ?

— J'ai pourtant encore un reproche à t'adresser.

— Je t'écoute.

— Tu es *le charmant compatriote* de Carola.

— Carola ? Elle est fourbe comme les chats !

— Ne dis pas de mal des chats, je les aime beaucoup.

— Moi aussi. C'est parfait. Quand nous nous marierons, nous aurons un angora, n'est-ce pas ?

— Non, un siamois.

— Bon, alors les deux, et nous élèverons des petits angoramois. Pour en revenir à ce serpent de Carola...

— Cette vipère, suggéra Ingrid.

— Non, ce python, corrigea Olaf.

Ils se mirent à rire et Ingrid déclara :

— Me voici définitivement rassurée.

Et ensuite la jeune fille dut tout raconter : les intrigues de Carola, son travail si pénible à bord et ses efforts pour oublier Olaf.

177

— Tu as vraiment été odieux dans ma cabine, se plaignit Ingrid en terminant.

— Et toi? Oublies-tu que tu m'as giflé?

— Non, murmura Ingrid, qui ajouta doucement : Et je ne recommencerai jamais plus.

— Bon! Eh bien, embrasse-moi. Tout est oublié.

— Houhou... Hououhouh! Ingrid! In-griid!

— Voici quelqu'un! s'écria Ingrid, qui s'aperçut soudain qu'elle avait terriblement froid.

Elle s'élança au bord de l'eau, fit de grands signes des bras, poussa des cris, gesticula.

Une petite barque se faufila entre les rochers et s'approcha. Elle était manœuvrée par un adolescent. Le second se tenait debout derrière le jeune garçon. En un éclair, Ingrid se souvint qu'ils avaient vu ce bateau amarré de l'autre côté du lac.

— Ingrid, vous voilà, Dieu merci! Quelle peur vous nous avez faite! Je savais que vous aviez l'intention d'aller seule jusqu'au glacier. Je m'y suis précipité et j'ai trouvé votre bateau sur un récif, plein d'eau... C'est le pire moment que j'aie jamais vécu. Avez-vous gagné la terre à la nage? Qu'avez-vous fait?

— Oh! rien d'extraordinaire... Enfin, je me suis fiancée.

A l'hôtel de Sundal, on mit les vêtements d'Ingrid et d'Olaf à sécher. Les peignoirs qu'on leur avait prêtés n'étant pas la tenue idéale pour se produire en public, on les installa dans une chambre où on leur servit un repas consistant. Plus tard, notre cordon-bleu ne parvint pas à se souvenir de ce qu'elle avait mangé ce jour-là. Étaient-ce des truites au bleu ou des côtelettes de porc, du saumon fumé ou du pot-au-feu ? Aucune idée.

— Olaf, dit Ingrid, devons-nous télégraphier à papa Monsen ?

Olaf réfléchit :

— Sait-il que tu es sur la *Naïade* ?

— Oui, je lui ai envoyé une carte d'Islande.

— Alors, il est inutile de lui télégraphier, conclut Olaf.

Dans le bateau qui les ramenait à la *Naïade,* Olaf, qui tenait Ingrid contre lui, osa enfin lui poser la question qui l'avait tant tourmenté :

— Ingrid, qu'en est-il exactement de Guillaume ? Comment as-tu... Qu'as-tu...

Il se mordit les lèvres et s'interrompit. Avant qu'Ingrid ait pu répondre, il reprit :

— Tu sais, dans ta cabine, il y avait une feuille de papier sur la table. Je n'ai pas l'habitude de lire le courrier des autres, je te le jure, Ingrid. Mais cette lettre était devant mes yeux : j'en ai lu une ligne. Il y était question d'un télégramme et j'ai redouté que...

— Ah ! cela n'avait aucune importance ! Guillaume m'avait écrit à Reykjavik pour me demander en mariage.

— Tu trouves que c'est sans importance ?

— Oui, puisque j'ai refusé.

Ils se turent. La vedette filait à travers le fjord de Mauranger et atteignait le large fjord d'Hardanger. L'air était froid et Ingrid apprécia la bonne veste de tricot que lui avait prêtée l'aimable femme du second.

— Mais, Ingrid... (Olaf parlait bas, bien que le bruit du moteur empêchât le second d'entendre leur conversation...) Ingrid, comment as-tu...

Alors, Ingrid décrivit ses cinq ans avec Guillaume : comme c'était beau au début, puis comment Guillaume l'avait déçue par son snobisme, puis offensée par son invitation à Copenhague. Jusqu'à sa demande en mariage qu'elle avait jugée blessante.

Elle raconta tout sans détour.

— Ton passé ne me concerne pas, ma tout-aimée, déclara paisiblement Olaf. L'essentiel, c'est que tu m'aimes maintenant et pour toujours. Au fait, pouvons-nous nous marier dans trois semaines ?

— Dans quatre semaines, à mon retour d'Amérique.

— Malédiction ! se lamenta le jeune homme. J'avais complètement oublié l'Amérique. Es-tu obligée d'y aller ?

— Oui, déclara Ingrid avec fermeté. Je l'ai promis, je dois tenir ; je n'ai qu'une parole.

— C'est un trait qui me plaît en toi. Et tu as promis de m'épouser dans quatre semaines.

— Je te l'ai dit, je tiens toujours mes promesses.

CHAPITRE XVI

LA *Naïade* sortait lentement du Hardangerfjord. L'air était froid et humide après le violent orage dont tout le monde parlait à la salle à manger. Le bruit s'était répandu qu'un des passagers, ce jeune ingénieur Varland, si sympathique, s'était tiré d'une situation dramatique, pour ne pas dire pire, au glacier de Bondhus. Tous voulaient des détails sur ce sauvetage, tous cherchaient Varland, mais il demeurait introuvable.

— Il est sûrement allé se coucher, suggéra un esprit judicieux, il doit être à demi mort de fatigue.

En fait, notre héros était loin d'être aussi épuisé que cela. Olaf ne s'était jamais senti aussi en forme que ce soir-là en pénétrant dans le carré des officiers.

La stupéfaction le pétrifia sur le seuil.

Sur l'un des côtés de la table, on remarquait deux couverts décorés de fleurs, avec des menus rehaussés de petits cœurs rouges.

Debout, en cercle, les officiers l'attendaient. Quand Olaf entra, toutes les mains se tendirent vers lui.

— Tous nos vœux. Nos sincères félicitations pour vos fiançailles... *Many happy returns,* dit le commissaire, tout joyeux.

Bientôt arriva la seconde personne à qui était destinée la réception. Ce fut le tour d'Ingrid de rester à la porte, muette d'étonnement.

Cette fête de fiançailles, bien qu'improvisée, ne manqua pas de solennité.

Il y eut des discours, des toasts et, à la fin, Olaf dut se lever pour remercier ses amis en son nom personnel et en celui d'Ingrid.

Elle hésitait entre le rire et les larmes.

— Comme vous vous êtes donné du mal pour nous ! balbutia-t-elle enfin, les lèvres tremblantes et les yeux brillants de joie.

— Pour qui nous mettrions-nous en frais sinon pour vous ? répliqua le commissaire. Croyez-vous que nous autres, vieux loups de mer boucanés par les intempéries —

ici Ingrid lança un bref regard sur les mains blanches et
soignées de l'officier — nous sommes dépourvus de tout
sens romanesque? Chère mademoiselle Ingrid, d'abord,
nous saisissons avec enthousiasme chaque occasion de
célébrer une fête; deuxièmement, nous trouvons votre
histoire romantique; troisièmement et surtout, il n'y a
pas de nouvelle qui puisse nous réjouir plus! Nous
serions si heureux de vous garder à bord!

— Ne vous faites pas d'illusions, intervint Olaf.

— Non, naturellement. Mais si vous désiriez partir en
voyage de noces sur la *Naïade* vous seriez les bienvenus au
carré des officiers, bien que nous ne puissions pas vous
garantir un buffet froid de la même qualité que pendant
ce voyage-ci...

Après ces derniers jours si éprouvants, Ingrid fut
infiniment sensible à ces bonnes paroles. Quel soulagement de s'être tirée à son honneur d'une responsabilité
si lourde! Et comme c'était agréable d'être si appréciée
par cet aimable entourage!

Ce soir-là, les deux jeunes gens se retrouvèrent côte à
côte sur le pont. Soudain, ils furent touchés par le calme
merveilleux dont ils avaient si grand besoin après tant
de nuits blanches, de malentendus, d'incidents pénibles
et irritants.

Ils se taisaient et se tenaient tout près l'un de l'autre
en regardant se succéder les crêtes écumantes des
vagues.

Quelques jours auparavant, ils étaient au même

endroit, mais leur mutisme était oppressant, lourd de sous-entendus. Maintenant, au contraire, le silence profond était chaleureux, tout empli d'un bonheur frémissant.

Olaf se pencha vers Ingrid et le baiser qu'il lui donna scellait leur réconciliation.

« Plus rien ne peut m'atteindre maintenant, songea Ingrid. Quoi qu'il arrive, je suis avec Olaf et je sais où est ma place. »

Aussi, lorsque la *Naïade* fit escale une heure à Stavanger, elle prit connaissance des journaux de Bergen sans nulle inquiétude. Elle les tenait d'une main, tandis que l'autre était solidement dans celle de son fiancé. Il les parcourut par-dessus son épaule, puis il éclata d'un rire retentissant :

— Ingrid, voici la meilleure plaisanterie que j'ai lue dans ma vie !

C'était bien vrai !

Ingrid s'était attendue à tout après son altercation avec Carola... sauf à cela : *Une passagère célèbre à bord de la « Naïade » distribue des pourboires princiers.* Cette légende accompagnait la photo de Carola et d'Ingrid ; au beau milieu de la table s'étalaient les billets de dix dollars !

L'actrice avait dû circonvenir les journalistes dans son style mi-figue mi-raisin. Elle avait expliqué le petit incident avec Ingrid en prétendant avoir donné dans sa générosité infinie un important pourboire à la diététicienne..., ce que l'humble jeune fille norvégienne avait refusé catégoriquement.

Oui, Carola était habile. Elle avait réussi à se montrer sous un jour favorable. Quant à ses propos sur Ingrid, les journalistes les avaient probablement enjolivés. Toutefois, ce qu'il y avait dans le journal ne pouvait nuire ni à Ingrid ni à la réputation de la *Naïade*.

— Ouf! Quel soulagement! soupira Ingrid.

— Petite tricheuse! la taquina Olaf, ne m'as-tu pas dit que tu n'avais plus de soucis? N'as-tu pas prétendu que plus rien ne pouvait t'atteindre? Tu n'oses pas avouer que tu avais peur!

— C'est fini, maintenant. Tous mes soucis se sont envolés.

La porte s'ouvrit avant même qu'ils aient sonné.

— Je vous ai vus par la fenêtre, expliqua papa Monsen.

Il leur tendit les deux mains. Ingrid prit la droite et Olaf la gauche.

— Je vous félicite, mes biens chers enfants. Sois la bienvenue sous notre toit, chère petite Ingrid.

— Comment es-tu au courant? s'étonna son fils.

Papa Monsen sourit d'un air supérieur.

— Je sais toujours tout. Et je m'attendais à ces fiançailles depuis longtemps.

— Papa Monsen, est-ce à cela que tu pensais quand tu disais que tu étais sûr d'un événement, mais que tu n'en parlerais qu'une fois qu'il se serait produit?

— Bien sûr. Qu'aurait-il pu arriver d'autre? demanda papa Monsen.

Ce soir-là, on fêta une seconde fois les fiançailles d'Ingrid et d'Olaf.

Plus tard, après le dîner que papa Monsen avait préparé personnellement (une entrecôte Bercy et un pudding royal), il souleva la question qui est toujours la plus brûlante pour un jeune couple :

— Et où allez-vous habiter?

C'était évidemment un problème épineux.

Les studios de l'immeuble ne pouvaient être loués qu'à des dames. Le seul appartement un peu grand était celui du gardien et c'était aussi le seul dont on pût disposer librement.

— Je crois que je peux tourner la difficulté, les rassura papa Monsen. Sans doute pourrai-je prendre un des petits logements pour vous laisser celui-ci. Il faudra que j'en parle au gérant...

— Et quand papa Monsen négocie un arrangement, on est sûr du succès! poursuivit Olaf.

— Si je savais ce que je peux faire pour toi, cher beau-papa Monsen! dit Ingrid. Si je pouvais te prouver mon affection...

— Oh! tu trouveras bien une idée! En attendant, je porte un toast au plus heureux des couples.

Ce livre
UN MARI POUR INGRID
de Berte Bratt
illustré par Diane Tudela
est le
deux cent soixante et unième
de la
COLLECTION
SPIRALE

Composition effectuée sur Monotype
par les Établissements Coupé
44880 Sautron
Achevé d'imprimer
sur les presses de l'Imprimerie Lescaret
à Paris

Dépôt légal n° 2989   2e trimestre 1977   Mai 1977